Pápaí an Fichiú hAois

Anraí Mac Giolla Chomhaill

GW00566739

Foilseacháin Ábhair Spioradálta
Baile Átha Cliath

An Chéad Chló 2002

Tá *Foilseacháin Ábhair Spioradálta* buíoch de Bhord na Leabhar Gaeilge as tacaíocht airgid a thabhairt dóibh.

Clóchur agus Clúdach: Graftrónaic
Léaráidí: Pauline McGrath
Clódóirí: Johnswood Press, Tamhlacht

ISBN 0-9540753-5-8

Pápaí an Fichiú hAois

Focal ón té a thionscain

Is é rud atá sa leabhar beag seo, a léitheoir dhil, ná cuntas gairid ar shaoil an ochtar fear a stiúraigh agus a threoraigh an Eaglais Chaitliceach san aois seo caite, gach duine acu ina fhear ann féin, ón fhear léannta go dtí an fear simplí tuaithe. Ná bí ag súil anseo, áfach, le saothar scolártha agus tú á thógáil le léamh: níl ann ach cuntas simplí, gan sofaisticiúlacht dá laghad, a cuireadh i gceann a chéile mar chomhartha ómóis do na ceannairí cumasacha úd a bhí i gceannas orainn i rith an chéid seo caite.

Anraí Mac Giolla Chomhaill

An Lúb, Co. Doire,

Feabhra 2001.

R É A M H R Á

Clabhsúr ar an Naoú hAois Déag

Ag fíorthús an fichiú haois, bhí Leo XIII (Vincenzo Gioachino Pecci) fós ina phápa, agus bheadh go ceann trí bliana eile. B'fhada a réim. Toghadh é ar 20 Feabhra 1878 agus d'éag sé, in aois a 93 bliana, ar 20 Iúil 1903. Ní hionadh go raibh tionchar mór ag fear ar dhual dó bheith i réim ar feadh cúig bliana fichead, ar shaol agus smaointe na hEaglaise.

Le linn a réimis d'fhoilsigh Leo XIII an-chuid imlitreacha, de réir mar a tháinig fadhbanna éagsúla chun cinn san Eaglais. Chuaigh trí cinn acu go h-áirithe i gcion ar an saol caitliceach, ar dhóigh mhíorúilteach nach mór. B'iad siúd *Aeterni Patris* (1879) a thug tús áite athuair d'fhealsúnacht agus diagacht Naomh Tomás Acuineach, *Immortale Dei* (1895) a chuir os comhair Caitlicigh a bhfuil meas acu ar an daonlathas an córas rialtais is fearr agus is foirfe, agus iad ag maireachtáil sna stáit úra tuata a bhí ag teacht chun cinn ar fud an domhain san am, agus *Rerum Novarum* (1891) – an imlitir de chuid Leo XIII is mó a bhfuil eolas uirthi – an ceann a leagann síos dúshraith an teagaisc chaitlicigh ar shaol sóisialach agus ar chúinsí saothair an lucht oibre.

Amach ó thionchar na dtrí n-imlitir sin, bhí lámh Leo ar stiúir na hEaglaise go follasach le feiceáil i ngnéithe eile de shaol an phobail Chaitlicigh. Chuir sé dlús úr leis an deabhóid do Chroí Rónaofa Íosa, mar shampla, chuir sé borradh úr faoi dheabhóid an phaidrín pháirtigh, agus spreag sé an pobal caitliceach le spéis úrnua a chur sa Bhíobla. Bhunaigh sé an dá ollscoil chaitliceacha i Freiburg na Gearmáine agus i

Washington Mheiriceá, agus ina theannta sin chuir sé tús le Comhdhálacha Eocairisteacha.

Deirtear gur bhain sollúntais agus searmanais na Bliana Naofa 1900 an iomarca fuinnimh as, agus faoi cheann na bliana 1901 aithníodh go raibh sé in ísle brí. An choicís dheireanach dá shaol d'fhulaing an Pápa pianpháis chéasta gan mairgneach dá laghad a dhéanamh. D'fhág sé oidhreacht ag a chomharba a chuirfeadh ar a chumas siúd aghaidh a thabhairt go calma cróga ar ilfhadhbanna an chéid nua.

PIUS X 1903 – 1914

Óige agus saol go 1903

Murab ionann agus Leo XIII, a rugadh lámh leis an Róimh, a fuair oiliúint ó na hÍosánaigh i Viterbo agus a chaith cuid mhór dá shaol, roimh a oirniú ina phápa, i seirbhís taidhleoireachta na Vatacáine, tháinig a chomharba Pius X (Giuseppe Melchiorre Sarto) ar an saol i Riese i ndeoise Treviso i dtuaisceart na hIodáile. Oileadh i gcliarscoil dheoise Padova é agus chaith sé an mhórchuid dá shaol in obair thréadach, mar ghnáthshagart ar dtús agus mar easpag ina dhiaidh sin, óna oirniú in 1858 nó gur ardaíodh go stádas na pápachta é i 1903.

Ba mhac le fear poist agus bean fhuála é, nach raibh ach stádas íseal sa saol acu. Fuair Giuseppe óg a chuid meánscolaíochta i gCastelfranco roimh dó dul ar aghaidh go cliarscoil Padova in 1850. I ndiaidh a oirnithe ar 18 Meán Fómhair 1858 chaith sé naoi mbliana ina shagart cúnta i Tombola, i ndeoise Treviso, agus ocht mbliana ina shagart paróiste i Salzano.

Sa bhliain 1875 rinneadh canónach agus biocáire caibidleach ar dheoise Treviso de, agus ina theannta sin ainmníodh é ina sheansailéir ag easpag na deoise. Naoi mbliana ina dhiaidh sin (1884) ceapadh ina easpag ar dheoise Mantova é – deoise a raibh drochdhóigh uirthi ach ar éirigh leis an easpag Sarto í a athbheochan. Sa bhliain 1893 d'ainmnigh Leo XIII ina chairdinéal é agus ina phatrarc ar fhairche Veinéise.

B'éigean don phatrarc nua fanacht ocht mí dhéag áfach sular fhéad sé dul i mbun chúram a dheoise úire, as siocair nach raibh rialtas na hIodáile sásta lena cheapachán. Ní hé go raibh a dhath ar bith acu in éadan Giuseppe Sarto go pearsanta, ach go mba leasc leo a gceart féin ar easpaig a ainmniú – ceart a bhí ag Impire na hOstaire rompu – a ligint uathu. Níor ghéill an rialtas go dtí gur bronnadh stádas mhaoracht aspalda ar an mhisean chun na hEiritré san Afraic agus gur cuireadh Caipisínigh de chuid na hIodáile ina bhun.

Ar éag do Leo XIII ar 20 Iúil 1903, cuireadh tionól cairdinéal ar bun ar lá deiridh na míosa céanna. Ceapadh go mbeadh an lá leis an chairdinéal Mariano Rampolla, rúnaí stáit Leo, ach ar 2 Lúnasa fógraíodh crosadh Franz Josef, Impire na hOstaire – rud a raibh na cairdinéil glan ina choinne – agus cibé acu an raibh tionchar ag an chrosadh seo ar na himeachtaí nó nach raibh, ní bhfuair Rampolla ach dhá thrian de na vótaí agus ar an seachtú chrannchur ar 4 Lúnasa, le 55 vóta as 60, toghadh an t-ardeaspag Sarto agus rinneadh a chorónú ina phápa an Domhnach dár gcionn. Ba é an t-ainm a roghnaigh an pápa nua dó féin ná Pius X, in ómós is dócha do Pius IX ('Pio Nono', 1846-1878), a raibh clú agus cáil air agus a rabhthas doirte dá chuimhne.

Thogh Pius X rúnaí thionól na gcairdinéal, an cairdinéal Rafael Merry del Val (1965-1930) de bhunadh Sasanach/Spáinneach, mar rúnaí stáit. Ní raibh Pius ach bliain i réim nuair a chuir sé deireadh le crosadh na stát caitliceach, a raibh Franz Josef na hOstaire ag iarraidh a chur i bhfeidhm.

Tús Corrach

Sa chéad imlitir a tháinig ó pheann Pius X, *E supremi Apostolatus* (4 Deireadh Fómhair 1903), leag sé amach na h-aidhmeanna a bheadh aige le linn a phápachta: dul i ngleic le eascairdeas le Dia agus leis an chlaonadh chun an creideamh a shéanadh, a bhí dar leis ag síor-mhéadú i measc an phobail agus a bhí thar a bheith díobhálach.

B'fhollas an dearcadh sin aige sa mhana a ghlac sé dó féin mar phápa, *instaurare omnia in Christo* ('an uile ní a thabhairt le chéile faoi cheannas Chríost', Eif. 1:10). Ba léir uaidh sin go raibh fonn air béim á leagan ar chothú na spioradáltachta, agus an obair thréadach a chur chun cinn, in ionad a bheith ag caitheamh an iomarca ama agus dúthrachta ag plé le cúrsaí polaitíochta, go mórmhór sna blianta tosaigh, mar ab éigean do na pápaí a tháinig roimhe a dhéanamh.

Rud eile de, bhí Pius X agus a rúnaí stáit, Merry del Val, míshásta leis an pholasaí a bhí i bhfeidhm roimhe sin ag Leo XIII agus a rúnaí stáit siúd, Rampolla - ag plé le rialtais thuata – agus bhí rún daingean acu, faoi mar a chonaic muid i gcás Franz Josef, seasamh go diongbháilte le cearta na hEaglaise. Níorbh fhada gur tharla briseadh i gcaidreamh taidhleoireachta leis an Fhrainc, nuair a chuir aire rialtais de chuid na tíre sin, Émile Combes, ar shagart tráth é, Concordáid 1801 ar ceal ar 30 Iúil 1905. Ar 9 Nollaig na bliana céanna chuir rialtas na Fraince dlí i bhfeidhm trína ndearnadh glanscaradh idir an Stát agus an Eaglais, rud a bhí á bhagairt cheana le linn do Leo XIII bheith i réim. Mar thoradh air seo cuireadh comhlachais cultúir *('associations culturelles')* ar bun sa Fhrainc d'fhonn seilbh a ghlacadh ar gach a bhain leis an Eaglais. Bhíothas chun tuarastal na sagart a íoc mar chúiteamh ar choigistiú mhaoin na hEaglaise, ach níorbh fhada gur ligeadh an socrú sin i ndearmad. Chuir an pápa dhá imlitir amach ag cáineadh rialtas na Fraince ach ba dhaor a d'íoc sé as an cháineadh sin; óir cé gur éirigh le heaglais na Fraince, d'ainneoin cruatan agus anró, a neamhspleáchas a chaomhnú, is amhlaidh a fágadh lucht riartha na hEaglaise ar an trá fholamh. Meastar áfach gur méadaíodh ar ardcháil na hEaglaise freisin lena linn.

Dornán blianta ina dhiaidh sin (1911) d'imir rialtas na Portaingéile an cleas céanna agus a rinne an Fhrainc, agus bhí baol ann go leanfadh an Spáinn sampla a gcomharsana. Ansin d'éirigh idir Pius X agus rialtas na Pólainne de bharr gur thug sé tacaíocht do Chaitlicigh na tíre sin, agus ní raibh rialtas na Breataine róshásta leis ach oiread, as tacú le Caitlicigh na hÉireann. Tháinig rothán ar rialtas Mheiriceá, chomh maith, as diúltú bualadh leis an Uachtarán Theodore Roosevelt i ndiaidh dó léacht a thabhairt in Eaglais Mheitidisteach na Róimhe. Bhí fadhbanna móra le sárú ag Pius i mblianta tosaigh a phápachta, mar sin, agus é ag iarraidh cearta na hEaglaise, agus cearta na gCaitliceach i dtíortha áirithe, a chosaint.

Siar sa bhliain 1906 d'eisigh Pius X an imlitir *Il Fermo Proposito*, inar leag sé síos bunphrionsabail na gluaiseachta ar a dtugtar anois an 'Saothar Caitliceach', a raibh sé mar chuspóir aige teacht aniar aduaidh ar leithéidí rialtais na Fraince agus na Portaingéile, a bhí ar maos san aindiachas agus sa fhrithchaitliceachas. Ba é an phríomhaidhm a bhí ag an ngluaiseacht seo ná Críost a chur ar ais ina ionad ceart san teaghlach, sa scoil agus sa tsochaí i gcoitinne, trí shaothrú chun fadhbanna an lucht oibre a réiteach agus tabhairt faoi ghníomhaíochtaí sóisialta eile a ba ghá a chur chun cinn. Ba aidhm é seo ar ndóigh a bhí go mór i dtiúin le mana Pius X dá phápacht, 'an uile ní a thabhairt le chéile faoi cheannas Chríost'.

Ní raibh deireadh fós áfach le crá an phápa ag na rialtais a luaigh muid thuas. Faoi cheann na bliana 1910 bhí an Fhrainc ag déanamh tinnis dó athuair. Cuireadh gluaiseacht shóisialta ar bun darbh ainm *Le Sillon* ('An Chlais') agus é mar chuspóir aici athmhuintearas a chruthú idir an Caitliceachas agus prionsabail na heite clé, rud ab ionann agus bunaidhmeanna díchreidimh Réabhlóid na Fraince a chothú agus a chur chun cinn. Cháin Pius an ghluaiseacht úr seo i litir chuig easpaig na

Fraince, agus thacaigh sé le gluaiseacht eile – a bhain leis an eite dheis – darbh ainm *Action Francaise.*

Feachtas in aghaidh an Nua-Aimsearachais

Seachas na fadhbanna socheolaíochta agus polaitíochta úd a bhí ag cur buartha ar Pius X i dtús a phápachta, ba í an bhagairt ba mhó, dar leis, ná fadhb an Nua-Aimsearachais (*modernismo*). Níorbh fhadhb úrnua ar fad í, óir bhí cineál de réamhléargas ar an chlaonadh seo le sonrú agus réim Leo XIII ag tarraingt chun críche, ach é bheith faoi cheilt a bheag nó a mhór.

Is é a bhí sa nua-aimsearachas ná uirlis idé-eolaíochta chun an Eaglais a chur in oiriúint, ar gach slí ab fhéidir, do dhearcadh úr fealsúnachta agus socheolaíochta an tsaoil thuata, a raibh claonadh tréan i leith an aindiachais le sonrú ann. Bhí beirt fhear go mór chun tosaigh i 'ngluaiseacht' seo an nua-aimsearachais: B'iad seo Alfred Firmin Loisy (1857-1940), ar Fhrancach é, agus fear darbh ainm George Tyrrell (1861-1909) a rugadh in Éirinn ach a raibh cónaí air i Sasana. Sagart agus scoláire bíobalta ab ea Loisy, a ruaigeadh as a phost mar ollamh san *Institut Catholique* i bPáras sa bhliain 1893, as siocair amhras a bheith á chaitheamh aige ar bhrí litearatha an Tiomna Nua. Ba fhear é Tyrrell a rugadh i mBaile Átha Cliath, a d'iompaigh ina chaitliceach agus a oirníodh ina shagart i gCumann Íosa. Ba é a chreid seisean ná nach bhfuil i ngach dogma ach iarracht neamhfhoirfe le fírinní an chreidimh a chur i bhfocail, agus go bhfuil neamhbhuaine ag baint leis dá bharr. Díbríodh as Cumann Íosa é sa bhliain 1906.

Bhí de thoradh ar mhór-scéin Pius roimh an nua-aimsearachas, áfach, gur beag nár cuireadh gobán i mbéal scoláirí móra ar nós Marie-Joseph Lagrange, duine de na scoláirí bíobalta ab fhearr agus ba léannta ag an am, cé nach raibh baol dá laghad don chreideamh ina scríbhinní siúd, ní hionann agus teagasc leithéidí Loisy agus Tyrrell.

Bhí an nua-aimsearachas leitheadach i measc lucht intleachta agus aos léinn go háirithe, agus léachtóirí agus diagairí chliarscoileanna agus ollscoileanna na hEorpa san áireamh. Ní gluaiseacht i gciall cheart an fhocail a bhí sa nua-aimsearachas riamh, áfach, sa mhéid is nár cuireadh i gceann a chéile é agus nach raibh eagraíocht dá laghad taobh thiar de. Ba mhó de chlaonadh ná de ghluaiseacht a bhí ann dáiríre, agus ina theannta sin bhí sé teoranta nach mór don Fhrainc agus don Iodáil, ach bhí an pápa cinnte dearfa de go bhféadfadh sé an Eaglais a scrios.

Ba é an forógra *Lamentabili Sane Exitu,* a d'eisigh sé 3 Iúil 1907, an chéad arm a tharraing Pius X chuige i gcoinne an nua-aimsearachais, cé gur luaigh sé é cúpla mí roimhe sin san imlitir *Pieni l'Animo.* Sa bhforógra chuir sé liosta de 65 tuairimí chun tosaigh a rinne sé a cháineadh ceann ar cheann. Tugtar 'Siollabas Pius X' ar an bhforógra seo go minic dá bhrí sin.

Ar 8 Meán Fómhair na bliana céanna, tharraing an pápa chuige an dara arm sa chath in aghaidh an nua-aimsearachais, nuair a d'eisigh sé an imlitir cháiliúil *Pascendi Dominici Gregis,* a thug buille an bháis, d'fhéadfaí a rá, don nua-aimsearachas, a raibh sé d'acmhainn aige, adúirt an pápa, an Eaglais go léir a scrios, mura ndéanfaí é a chur faoi chois. Leag sé béim ar leith ar na h-ábhair seo a leanas a bhí faoi ionsaí ag saobh-theagasc an nua-aimsearachais: (a) bunús agus mianach na Scioptúr (b) tinfeadh an Bhíobla (c) an t-idirdhealú idir Íosa na staire agus Críost an chreidimh (d) teagaisc i dtaobh bhuntús agus forbairt na Scríbhinne Diaga. D'eisigh sé litir phearsanta ní b'faide anonn sa bhliain, a threisigh leis an bhforógra agus an imlitir agus a bhagair géarcháintí orthu siúd a thabharfadh neamhaird orthu.

Trí bliana ina dhiaidh sin, 1 Meán Fómhair 1910, i litir phearsanta eile, chuir an pápa aitheanta na n-imlitreacha i gcuimhne don Eaglais arís eile, agus thug ar chléirigh a raibh post san Eaglais acu nó a bhí ag teagasc in institiúidí a bhí faoi cheannas na hEaglaise, mionn a thabhairt ag diúltú do na hearráidí éagsúla a bhí cáinte aige sna doiciméid sin. Ba é a mhol Pius X sa litir sin, mar leigheas ar shaobh-theagasc urchóideach an nua-aimsearachais, ná dianstaidéar a dhéanamh ar shaothar Naomh Tomás Acuineach. Thagair an pápa don ábhar achrannach seo níos mó ná uair amháin i ndoiciméid eile sna blianta úd, mar shampla in imlitir a d'eisigh sé ar 21 Aibreán 1909 ar ócáid chuimhneachán bhás Naomh Carlo Borromeo ar 23 Meitheamh 1910.

Léiríonn sé sin uilig a thábhachtaí a bhí an feachtas in aghaidh an nua-aimsearachais in intinn an phápa agus a chontúirtí don Eaglais a bhí an modh smaoinimh a ghin an 'ghluaiseacht dhíobhálach' sin, dar leis. Táthar den tuairim ar na saolta seo, áfach, go mb'fhéidir go ndeachaigh Pius X rud beag thar fóir agus é ag iarraidh dul i ngleic leis an fhadhb seo. Faoi cheann na bliana 1914 agus a chomharba Benedict XV i réim, ba ar éigean a bhí rian den chlaonadh sin le sonrú san Eaglais agus bhí deireadh leis an 'ghluaiseacht' úd. Ar ndóigh d'fhéadfá a mhaíomh os a choinne sin gur de thairbhe fhadbhreathnaitheacht agus diansaothar Pius X a bhí an scéal amhlaidh chomh luath sin sa chéad úr.

Cúrsaí oideachais agus oiliúna

Nuair a ceapadh Giuseppe Sarto ina chanónach i ndeoise Treviso sa bhliain 1875 rinneadh stiúrthóir spioradálta ar chliarscoil na deoise de chomh maith, agus chuir sé spéis nár bheag in oiliúint agus i múnlú spioradálta na cléire. Léirigh sé an spéis chéanna ar feadh an chuid eile dá shaol. Nuair a ceapadh é ina easpag ar dheoise Mantova, in 1884, lean sé leis an obair chéanna, i gcás chléir a fhairche úire, agus níos deireanaí arís ar a ainmniú ina ardeaspag agus ina phatrarc ar Veinéis sa bhliain 1893. Agus tar éis a thofa ina phápa sa bhliain 1903 bhí deis agus lánchumhacht aige feasta a chuid smaointe ar na hábhair seo a chur i ngníomh. Ba é an chéad rud a rinne sé ná ord úr staidéir a leagan síos do dheoisí na hIodáile, bunaithe ar an chlár staidéir a bhí i bhfeidhm i ndeoise na Róimhe.

Ar an dara dul síos, bhí cuid mhór de dheoisí na hIodáile san am a raibh cliarscoil dá gcuid féin acu, ach ó tharla bunús fhairchí na tíre bheith measartha beag, ba dhoiligh dóibh cliarscoil a chothú agus a choinneáil ar oscailt. Chuir Pius X roimhe cliarscoileanna úra, réigiúnda a chur ar bun a bhféadfadh cuid mhaith de mhiondeoisí na dúiche a gcuid mac léinn sagartóireachta a chur ag freastal orthu. D'éirigh thar barr leis an scéim seo.

Ba é an dara gné de réimse na hoiliúna ar ar thug an pápa aghaidh ná gné na Scioptúr, rud a rinne sé ó tharla tábhacht ollmhór bheith le staidéar ar an mBíobla i saol cráifeachta na hEaglaise agus ó ba bhaolach, ina thuairim, gan diansmacht bheith ag an Eaglais ar an staidéar sin agus an nua-aimsearachas a bheith ag bagairt air i dtólamh. Ar an ábhar sin, chinn Pius X ar lárionad úr a bhunú sa Róimh ina ndéanfaí staidéar ar an Scríbhinn Dhiaga, de réir phrionsabail cheartchreidmheacha ach ag cloí san am céanna le modhanna a bhainfeadh feidhm as an eolaíocht a b'fhearr agus ba nua-aimseartha. Bhí Coimisiún Bíobalta ar bun ó ré Leo XIII i leith agus ó bhí a chuid ball measartha liobrálach thug Pius X faoina líonadh le baill a bhí thar a bheith coimeádach. Ba é toradh an tsaothair sin aige go mba ghearr gur chuir an Coimisiún bac ar Chaitlicigh labhairt in éadan tuairimí áirithe seanbhunaithe, a raibh scoláirí bíobalta ar fud na cruinne i ndiaidh droim láimhe a thabhairt dóibh faoin am seo (mar shampla, i gcás an tSean-Tiomna, gurbh é Maois agus Maois amháin ab údar don chéad chúig leabhar, an Pentiteoch); nach raibh i Leabhar Íseáiá ach an t-aon údar amháin; agus i gcás an Tiomna Nua, gurbh é Soiscéal Matha an chéad cheann a cumadh; gurbh é Pól ab údar don Litir chuig na hEabhraigh; agus mar sin de. B'é an toradh a bhí ar sin uile gur cuireadh an staidéar bíobalta siar cúpla glúin.

Os a choinne sin, áfach, chuir an pápa coiste eile ar bun sa Róimh – coiste de scoláirí léannta de chuid Ord Naomh Doiminic – chun mionscrúdú a dhéanamh ar théacs bunaidh na Vulgáide (an leagan Laidine, bunaithe ar aistriúchán Naomh Iaróm den tSean-Tiomna agus na Soiscéil) agus leasuithe ar bith ba ghá a chur i bhfeidhm.

Ag fágáil scéal na Scrioptúr inár ndiaidh dúinn, tugaimis spléachadh seal ar cúrsaí Theagaisc Chríostaí. Go luath ina réim mar phápa b'fhollas do Pius X an géarghá a bhí le teagasc Críostaí a bheith ar fáil, ní amháin do pháistí agus do dhaoine óga, ach do dhaoine fásta chomh maith céanna. San imlitir *Acerbo Nimis* a d'eisigh sé ar 15 Aibreán 1905, ba é an teachtaireacht a bhí aige do na fíréin ná go mba chóir go ndéanfaí cúram ar leith de theagasc an chreidimh agus na móráltachta a chur roimh óg agus aosta araon. Thug sé céim eile i dtreo an chuspóra sin nuair a d'fhoilsigh sé caiticiosma úrnua le haghaidh fhairche na Róimhe.

Pápa na hEocairiste

Is de dhlúth agus d'inneach na Críostaíochta í sacraimint na hEocairiste, idir ghné na h-íobartha (an tAifreann naofa) agus gné an bhéile (an Chomaoineach naofa) araon. Níorbh áibhéil ar bith a rá gur chuir Pius X smaointe réabhlóideacha chun tosaigh i gcás na sacraiminte seo, a thabhaigh an t-ainm 'Pápa na hEocairiste (rialta)' dó riamh ó shin.

I bhforógra a d'eisigh sé ar 20 Nollaig 1905, moladh do phobal Dé an Chomaoineach naofa a ghlacadh a mhinice agus ab fhéidir – uair in aghaidh an lae dá mb'fhéidir é – agus tugadh lánchead dóibh é sin a dhéanamh. Scaoil an pápa na h-easláin ó dhualgas an troscaidh roimh ghlacadh na Comaoineach, ar dhóigh go mbeadh ar a gcumas feasta an Chomaoineach naofa a ghlacadh dhá uair in aghaidh na míosa – agus ní ba mhinice ná sin féin, de réir fhorógra eile a eisíodh ar 7 Nollaig 1906. Tugadh céim eile chun tosaigh ar 16 Lúnasa 1910 nuair a d'fhoilsigh Pius X an forógra *Quam Singulari,* a chuir ar chumas páistí, ar theacht in aois na tuisceana dóibh, an Chomaoineach naofa a ghlacadh.

Mar thoradh ar na doiciméid sin rinneadh athrú iomlán ar intinn na hEaglaise faoi ghlacadh na Comaoineach naofa: ó bheith ina ghníomh adhartha nach ndéantaí ach go hannamh (iarsma de ré an Iansanachais san Eaglais sa seachtú aois déag) rinneadh dlúthchuid de fhreastal ar an Aifreann de, rud a bhí i gceist riamh ó thús na Críostaíochta, go dtí gur chuir Iansan

9

agus a lucht leanúna constaicí agus bacanna sa bhealach sa 17ú céad. Ag cloí leis an Eocairist dúinn, b'fhollas do Pius X a thábhachtaí a bhí Comhdhálacha Eocairisteacha (tionóladh an chéad cheann i Lille na Fraince sa bhliain 1881). Socraíodh gur sa Róimh a thionólfaí Comhdháil Eocairisteach na bliana 1905, agus chinn an pápa ar chur le sollúntacht na h-ócáide luachmhaire seo feasta trí leagáid cairdinéil a sheoladh chuici.

Muire; An Liotúirge

Mar is dual d'Ionadaí Chríost ar talamh, bhí deabhóid ar leith ag Pius X don Mhaighdean Muire, Máthair Íosa Críost, agus rinne sé a mhíle dhícheall an deabhóid sin a chothú agus a neartú i measc phobal Dé. Bhain sé feidhm, mar shampla, as ócáid iubhaile órga fhógairt dhogma Ghiniúint Mhuire gan Smál chun imlitir a sheoladh (2 Feabhra 1904) d'fhonn Caitlicigh an domhain a spreagadh agus a ghríosadh chun a ndeabhóid don Mhaighdean Bheannaithe a mhéadú. Sa bhliain chéanna sin, thionóil sé Comhdháil Mhuire sa Róimh a raibh sé mar chuspóir aici eolas faoi Mháthair Dé a dhoimhniú agus a scaipeadh i measc na bhfíréan. Agus ba é Pius X faoi ndeara íomhá de Ghiniúint Mhuire gan Smál a chorónadh i gcór Bhaisleac Naomh Peadar sa Chathair Shíoraí ní b'fhaide anonn sa bhliain sin.

Bhí spéis as cuimse ag an Phápa Pius X i ngach ghné den liotúirge agus chonacthas dó, de thoradh a thaithí fhada mar shagart agus mar easpag, go raibh leasuithe de dhíth thall is abhus air. Sa bhunreacht aspalda *Divino Afflatu* a d'fhoilsigh sé lá Samhna na bliana 1911, chuir sé leasú i bhfeidhm ar Urnaí Oifigiúil na hEaglaise ('Liotúirge na dTráthanna, an portús – nó an 'oifig', mar a thugtar air go minic), ionas go léifí feasta iomlán na salm gach uile sheachtain. Chomh maith leis sin chuir sé tús sa bhliain 1914 le leasú Leabhar an Aifrinn.

Gné eile den liotúirge a raibh dúil ar leith ag Pius X inti i rith a shaoil ab ea an chantaireacht Ghreagórach. Chomh fad siar le tús a réime mar phápa, ar 22 Samhain 1903, chuir sé litir phearsanta amach inar bhronn sé a háit chuí i searmanais na hEaglaise ar an chantaireacht álainn ársa seo, a bhí ligthe i ndearmad le cúpla céad bliain anuas, ach a rabhthas tosaithe ar staidéar a dhéanamh athuair uirthi ó lár an 19ú haois ar aghaidh. Anuas air sin, bhunaigh Pius X an Institiúid Phointifiúil Um Cheol Eaglasta sa Róimh chun an staidéar sin a chur chun cinn, agus shocraigh sé go gcuirfí iomlán an cheoil sin faoi chló ar phreas na Vatacáine. Is é an trua Mhuire é go bhfuil neamart glan déanta le blianta beaga anuas ar an obair áirithe sin de chuid Pius X, de bharr mhíthuiscint scannalach ar spiorad Chomhairle Vatacáin II, ionas gurb annamh ar na saolta seo a chluintear i dteach an phobail an ceol álainn, maorga sin ab ansa leis na fíréin le fada an lá.

Mar fhocal scoir ar Pius X agus an liotúirge, níor mhiste a lua go bhfacthas dó leasuithe a bheith de dhíth i bhféilire na naomh, agus ní raibh lá moille air iad sin a dhéanamh chomh maith. De bharr a shaothar leasaithe ar Urnaí Oifigiúil na hEaglaise, a fheachtas le glacadh na Comaoineach naofa a éascú i measc na bhfíréan agus a shaothar ar mhaithe leis an chantaireacht Ghreagórach, leag Pius X dúshraith dhaingean faoin Ghluaiseacht Liotúirgeach, agus chuir dlús léi, ionas gur leath sí ar fud na hEorpa agus Mheiriceá ó shin i leith.

Dlí Canónda agus Riaradh na hEaglaise

Chonacthas don phápa Pius X fosta go raibh dlíthe canónda na hEaglaise in aimhréidh, agus go raibh géarghá le códú a dhéanamh orthu. Cé gur chuir sé tús le próiseas chun ord agus eagar a chur orthu nuair a chuir sé comhthionól speisialta cairdinéal ar bun le dul i mbun an chódaithe – agus an monsignor (cairdinéal ina dhiaidh sin) Gasparri ina rúnaí air, níor dhual don phápa toradh a shaothair a fheiceáil. Ní dhearnadh an cód úr a chríochnú go dtí trí bliana i ndiaidh a bháis (1917) agus a chomharba Benedict XV i réim (féach Caibidil II).

Agus an obair sin faoi lán seoil, thug an pápa aghaidh ar thasc eile a shíl sé a bheith ag teastáil go géar, is é sin atheagrú na gComhaltas Rómhánach, .i. ranna riaracháin an *curia,* nó cúirt riaracháin na hEaglaise Caitlicí. Eisíodh an bunreacht aspalda

Sapienti Consilio (29 Meitheamh 1908) ar an ábhar seo. Bhí ceithre cinn déag de na comhaltais seo ann ón am ar chuir an pápa Sixtus V ar bun iad siar sa bhliain 1588, ach mar thoradh ar shaothar Pius X laghdaíodh a líon go haon cheann déag (le linn Chomhairle Vatacáin II, áfach, íslíodh a líon arís go naoi gcinn). B'ionann sin agus aon cheann déag de chomhthionóil, trí cinn de bhinsí *(tribunali)* agus cúig cinn d'oifigí ar fad bheith i mbun riarachán na hEaglaise sa *curia.* Chuir an feachtas seo de chuid Pius X slacht ar dóigh ar chóras riaracháin na hEaglaise, a mhair go ceann trí scór bliain.

Foirceann a Bheatha

Bhí cáil na cráifeachta ar Pius X i rith a shaoil. Fiú le linn a bheatha, bhíothas á éileamh go gcanónófaí ina naomh é. Níor thúisce básaithe é, mar sin, ná gur cuireadh dlús leis an bhfeachtas canónaithe. Fuair sé bás den phlúchadh ar 20 Lúnasa 1914, ach tá mé barúlach go raibh níos mó ná sin ag cur as dó ag an am. Bhí an Chéad Cogadh Domhanda ar tí tosnú agus bhí an pápa i ndiaidh an léan a chuir sin air a chur i bhfocail i ndoiciméad a chuir sé amach ar 2 Lúnasa 1914, *(Dum Europa Fere).* Ar 3 Meitheamh 1951, ghlac an pápa Pius XII an chéad chéim i bpróiseas canónaithe Pius X nuair a rinne sé é a bheannú, agus trí bliana ina dhiaidh sin, le linn Bhliain Mhuire, ar 29 Bealtaine 1954, d'ainmnigh sé ina naomh é. Is é 3 Meán Fómhair a lá fhéile ó shin i leith.

Siúd is go raibh tréimhse measartha ghairid – aon bhliain déag – ag Pius X mar phápa, bhí tábhacht thar na bearta lena réim agus ba rí-dhoiligh áibhéil a dhéanamh ar thionchar an fhir éifeachtaigh, naofa seo. Tháinig sé i gcoróin i ndiaidh seal fada go leor a chaitheamh i mbun dualgaisí tréadacha, mar shagart agus mar easpag, agus chuir sé ní ba mhó i gcrích ná aon phápa dár mhair ó aimsir Chomhairle Thrionta ar aghaidh. Bíodh is go raibh sé coimeádach go maith ar chuid mhór dóigheanna, bhí sé ar na pápaí ba leasaithí agus ba ghníomhaí dár mhair riamh. Má bhí sé rud beag gairgeach féin agus é ag plé le fadhb an nua-aimsearachais, is doiligh bheith ina dhiaidh ar an ábhar sin, óir de réir a dhearcaidh-sean, bhí baol ann go ndéanfadh an sciúirse sin Eaglais Chríost a bhascadh ar fad, agus mar phápa chonacthas dó nach raibh an dara rogha aige ach buille an bháis a thabhairt dó. Bheadh caoi ag a chomharba maolú rud beag ar dhéine an phápa uiríseal, éifeachtaigh, chráifígh seo sa chás íogair úd.

BENEDICT XV 1914 – 1922

Óige agus saol go 1914

Ba é Benedict XV a tháinig i gcomharbacht ar Pius X ar 3 Meán Fómhair 1914, coicís i ndiaidh bhás Pius. Cé nárbh é Benedict an pápa ba ghiorra réimeas san aois seo caite, bhí réimeas measartha gairid – seacht mbliana, ceithre mhí agus naoi lá déag – i ndán dó.

Rugadh Giacomo Della Chiesa i ndeoise Genova, ar 21 Samhain 1854. Ba shloinne é 'D*ella Chiesa* (a chiallaíonn 'de chuid na hEaglaise') a bhronn N. Ambrós ar theaghlach Della Torre i bPegli, deoise Genova, as a seasmhacht i gcoinne eiriceacht Áiris. Ba é an dara mac é ag an Marchese Giuseppe Della Chiesa, d'uaisle Genova, agus Giovanna Mighliorati as Veinéis. Bhain an pápa Innocent VII, a rialaigh an Eaglais ó 1404 go 1406, le teaghlach a mháthar. De bharr taisme a tharla dó ag am a bhreithe, bhí leathchluas, leathshúil agus leathghualainn Giacomo ní b'aoirde ná a chéile. Chomh maith leis sin, bhí sé beag go maith (thugadh daoine *il piccoletto* ('an firín') mar leasainm air), thar a bheith tanaí, agus bhí cos bhacach air. Ní raibh togha na sláinte riamh aige, mar sin, go háirithe i rith a óige. Ar an ábhar sin fuair sé bunoideachas príobháideach sa bhaile, agus ba iad na sagairt in *Istituto Donavaro e Giusso* a thug a mheánoideachas dó.

Chuaigh Giacomo ar aghaidh ansin go dtí Ollscoil Ríoga Genova, mar ar bhain sé amach dochtúireacht sa dlí sibhialta sa bhliain 1875 le tráchtas ar léirmhíniú na ndlíthe – rud a thug le fios don saol mór gurbh fhear intleachtúil, ábalta a bhí ann a raibh luí aige leis an dlí-eolaíocht. Ar an ábhar sin, ba é ab áil lena athair go gcleachtfadh sé an dlí mar shlí bheatha, agus fios maith aige go saothródh a mhac leochaileach airgead maith sa ghairm sin. Ach má ba é sin ab áil lena athair, níorbh é sin ab áil leis an mhac: bhí gairm ní b'uaisle agus ní b'fhiúntaí i ndán dósan, gairm an Tiarna, 'Tar…agus lean mise' (Marcas 10:21) Dá thairbhe sin, thug Giacomo aghaidh ar an Róimh. Chuir sé faoi sa *Collegio Capranica* agus rinne freastal ar chúrsaí fealsúnachta agus diagachta san Ollscoil Ghreagórach. Rinneadh sagart de ar 21 Nollaig 1878, in aois a cheithre bliana fichead. An bhliain dár gcionn, bhain sé dochtúireacht amach sa diagacht, agus i gceann bliana eile dochtúireacht sa dlí canónda.

Aithníodh sa Vatacáin go raibh eagna chinn as cuimse ag an Athair óg Della Chiesa, agus ó tharla é a bheith an-oilte i gcúrsaí dlí, idir sibhialta agus canónda, cuireadh é ar oiliúint san *Accademia dei Nobili Ecclesiastici* ('Acadamh na nEaglaiseach Uasal'). Ceapadh ina *apprendista* (ábhar rúnaí) é ag an monsignor Mario Rampolla, a bhí in oifig rúnaíocht stáit na Vatacáine, sa bhliain 1882. Ar cheapadh Rampolla ina nuinteas sa Spáinn an bhliain dár gcionn, thug sé leis an tAthair Della Chiesa mar rúnaí. Ceithre bliana ina dhiaidh sin, rinne an Pápa

Leo XIII cairdinéal agus rúnaí stáit de Rampolla, agus rinneadh fo-rúnaí stáit den Athair Giacomo sa bhliain 1901.

Ar theacht i gcoróin do Pius X sa bhliain 1903, ceapadh Rafael Merry del Val ina rúnaí stáit mar chomharba ar Rampolla, ach fágadh an tAthair Della Chiesa ina fho-rúnai. Bhí súil ag an sagart óg go dtoghfaí ina nuinteas chun na Spáinne é nuair a bhí an post sin folamh sa bhliain 1907, óir thaitin saol Mhaidrid go mór leis, ach ní mar a shíltear a bhítear ar an saol seo. Ós rud é gur shíl Pius X go raibh Della Chiesa an iomarca faoi thionchar Rampolla, cheap sé ina ardeaspag ar Bologna é (bhí stádas easpaig aige ó 1900), ar éag don ardeaspag Swampa. Rinne an pápa féin Della Chiesa a choisreacan sa Séipéal Sistíneach ar 22 Nollaig 1907.

Chuir sé iontas ar a lán nach ndearnadh cairdinéal de ar an ócáid chéanna, ach is amhlaidh a rinneadh sin ar 5 Bealtaine 1914. Ní raibh sé mórán thar trí mhí ina chairdinéal gur toghadh é ina chomharba ar Pius X ar 3 Meán Fómhair 1914, agus an Cogadh Mór ar éigean trí mhí ar siúl. De thairbhe an chogaidh, a bheadh ina loscadh sléibhe ar fud na hEorpa sar i bhfad, bhí géarghá le pápa a mbeadh cumas maith taidhleoireachta aige. Bheadh an Cogadh Mór ina chrá croí ag an Phápa nua ar feadh an chuid is mó dá réimeas.

Ghlac sé an t-ainm 'Benedict XV' mar chomhartha ómóis don bhfear deireanach a ndearnadh pápa de agus é ina ardeaspag ar Bologna. B'é sin Prospero Lorenzo Lambertini, Benedict XIV, a bhí i réim ó 1740 go 1758 agus a bhí, dála Giacomo Della Chiesa, ina shaineolaí dlí-eolaíochta. Rinneadh an pápa úr a chorónú sa Séipéal Sistíneach ar 6 Meán Fómhair, gan mórán sollúntachta de thairbhe cogadh a bheith ar siúl.

Pápa an Chogaidh Mhóir

Ó thús a réime bhí Benedict XV sáite sa choimhlint ba mhó agus ab uafásaí dár tharla i stair an domhain go nuige sin, agus i ndiaidh a thofa ba é a bhí uaidh, thar aon rud eile, ná deireadh a chur leis an 'spairn dhúnmharfach', mar a thug sé ar an chogadh. Ó tharla tiortha caitliceacha bheith ar an dá thaobh sa chogadh, bhí ar Benedict XV bheith an-chúramach gan leathbhróg a bheith air le taobh amháin seachas an taobh eile, rud nárbh fhurasta a dhéanamh. Nuair a bhí an cogadh ar siúl ar feadh bliana, d'agair sé ar cheannairí na dtíortha a bhí ag troid 'deireadh a chur leis an eirleach uafásach seo, a bhfuil easonóir na hEorpa tugtha aige le bliain', ach ainneoin go raibh 'fuil bhráthar á doirteadh ar muir agus ar tír', níor tugadh aird dá laghad ar achainí an phápa.

Mar a tharla, ní raibh ré ar bith i stair na hEaglaise ar thug an pápa sampla ní b'fhearr don domhan ná ré seo Benedict XV. Ba thaidhleoir cruthanta é, a oileadh i scoil fhíor-éifeachtach an Phápa Leo XIII agus an Chairdinéil Rampolla, agus bhí sé ró-chríonna le leid dá laghad a thabhairt ar cén taobh ar dhóigh leis an ceart a bheith sa chogadh, go mórmhór ó tharla gan an t-eolas cuí iomlán bheith ina sheilbh. Rud eile de, dhiúltaigh sé glan breithiúnas a thabhairt i gcás na n-ainghníomhartha a bhí á gcur i leith a chéile ag an dá thaobh. Arís is arís eile, mhol sé do na stáit a bhí páirteach sa chogadh sos a fhógairt, ach is é rud é gur tugadh an chluas bhodhar i gcónaí dó.

Bíodh is gur chloígh Benedict leis an seasamh neodrach a ghlac sé chuige féin ón tús, ní raibh lá leisce air cur ar a súile don dá thaobh go mion is go minic go raibh dlí morálta ann, agus go raibh an dlí sin i bhfeidhm lán chomh mór agus cogadh ar siúl agus a bheadh in aimsir síochána, agus go bhfacthas dósan, mar phápa, go raibh tromdhualgas sollúnta air féin cibé taobh a sháródh an dlí úd a cháineadh, ba chuma cén glacadh a bheadh leis an cháineadh sin..

Níor fhan an pápa i mbun spreagtha amháin, rinne sé cion fir le cabhair phraiticiúil a chur ar fáil dóibh siúd – ba chuma cén taobh lenar bhain siad – a bhí thíos leis an chogaíocht. Iad siúd a bhí leonta agus gan biseach i ndán dóibh, chuir sé moltaí chun tosaigh go ndéanfaí iad a mhalartú. Mar an gcéanna i gcás phríosúnaigh chogaidh ar an dá thaobh, arbh aithreacha teaghlaigh iad, mhol Benedict go scaoilfí saor iad. Mhol sé don dá thaobh freisin gan tabhairt ar phríosúnaigh chogaidh obair ('sclábhaíocht'?) a dhéanamh ar an Domhnach. Beart praiticiúil eile a rinne an pápa, chun sochair theaghlaigh na saighdiúirí agus na bhfear míleata eile ar an dá thaobh, ná Biúró na bPríosúnach Cogaidh a chur ar bun i mí na Nollag 1914, agus gan an cogadh i bhfad ar siúl, d'fhonn caidreamh a chothú idir príosúnaigh agus a ngaolta agus ábhar sóláis a chur ar fáil dóibh.

Le cruthú nárbh eagal leis taobh amháin thar an taobh eile, rinne Benedict casaoid ghéar leis an Ghearmáin as díoltas a imirt ar phríosúnaigh chogaidh, rud a bhí, adúirt sé, glan i gcoinne dlí morálta na cogaíochta; agus cháin sé an tír sin fosta as príosúnaigh Bheilgeacha agus Fhrancacha a sheoladh chun na Gearmaine mar oibrithe. Ní raibh lá leisce air ach oiread an Ostair a cháineadh as buamáil a dhéanamh ar bhailte oscailte (bailte gan chosaint mhíleata), agus thug sé íde béil don Iodáil féin as ucht áras Ambasadóir na hOstaire chun na Cathaoireach Naofa a choigistiú. Ina theannta sin chuir sé iomardú ar an Ghearmáin agus ar an Ostair, níos mó ná uair amháin, as an dlí idirnáiniúnta a shárú i dtaca le modhanna cogaíochta de.

Le dul siar nóiméad go tús a phápachta, i bhfíorthús an Chogaidh Mhóir, Lá Samhna 1914, sheol Benedict a chéad imlitir *Ad Beatissimi Apostolorum Principis,* ina raibh trácht ar an chogadh agus inar impigh sé ar na Cumhachtaí Láir (an Ghearmáin agus an Ostair) agus ar na Comhghuaillithe sos cogaidh a fhógairt. Bhí trácht inti ar nithe eile, chomh maith, mar a fheicfidh muid thíos. D'eisigh an pápa dhá ráiteas thábhachtacha eile faoin chogadh ar 22 Eanáir 1915 agus 28 Iúil 1915.

Lá Lúnasa na bliana 1917, d'eisigh Benedict nóta taidhleoireachta *Des le début* a bhí seolta aige chuig ceannairí na dtíortha uile a bhí in achrann lena chéile, inar thairg sé feidhmiú mar idirghabhálaí idir an dá thaobh ina n-iarrachtaí teacht ar réiteach. Freagra dá laghad, áfach, níor tugadh ar a Naofacht. Bhí leasainmneacha éagsúla ag an dá thaobh air, de réir mar a chonacthas dóibh é beith báúil le taobh amháin nó an taobh eile: Bhaist na Cumhachtaí Láir *der franzosische Papst*

18

('an pápa Francach') air, san áit a dtugadh na Comhghuaillithe *le pape boche* ('an pápa Gearmánach') air. Ós rud é, áfach, gur focal tarcaisneach é *boche,* bhí masla á thabhairt don phápa acu siúd a d'úsáid é.

I measc na moltaí a leag Benedict os comhair na náisiún a bhí i mbun cogaíochta sna ráitis éagsúla a sheol sé chucu, bhí siad seo a leanas: (a) go gcuirfí cumhacht mhorálta an chirt in áit neart na láimhe láidre (b) go dtiocfaí ar shocrú faoi laghdú ar an armáil – ach barántais bheith ar fáil (c) béim a leagan ar an eadráin seachas ar chogaíocht, agus (d) go gcuirfí smachtbhannaí i bhfeidhm ar stát ar bith nach nglacfadh le headráin (e) go dtréigfeadh gach stát críocha ar bith a bhí gafa acu, agus (f) go ndéanfaí cóilíneachtaí a thabhairt ar ais do na stáit ar leo ó cheart iad.

Tharla go raibh Stáit Aontaithe Mheiriceá gafa sa chogadh faoin am seo. Cé go raibh an tUachtarán Woodrow Wilson in éadan glacadh le moltaí an phápa i dtús báire, óir bhí sé den bharúil nár thug siad aghaidh mar ba chóir ar chúiseanna an chogaidh, agus nach mbeadh de thoradh orthu ach filleadh ar chúrsaí mar a bhí siad roimh 1914, leag sé ceithre phointe déag os comhair Chomhdháil Stáit Aontaithe Mheiriceá a bhí bunaithe, den chuid is mó, ar mholtaí Benedict. Mar sin, cé nár fhéad Benedict páirt dá laghad a ghlacadh sna comhchainteanna síochána a bhí ar siúl agus an cogadh ag tarraingt chun deiridh (ós rud é nach raibh réiteach fós ar an 'Cheist Rómhánach', is é sin le rá an Vatacáin bheith gan stádas stáit ó 1870 i leith, lena chur go hachomair), bhí a thionchar le brath ar Chonradh Versailles, a rinneadh a shíniú ar 28 Meitheamh 1919.

Tamall ina dhiaidh sin, sheol Benedict XV an dara imlitir *Pacem Dei munus pulcherrimum* (23 Bealtaine 1920). Bhí an Cogadh Mór thart le corradh is bliain, agus na Comhghuaillithe i ndáil chomhairle ag atarraingt léarscáil na hEorpa. Cé gur éirigh leis na Comhghuaillithe an pápa a ghearradh amach as an chur is chúiteamh a bhí ar siúl acu, bhí toradh ar shaothar Benedict nach raibh smaoineamh dá laghad acu air. Chonaic muid thuas go raibh cuid mhór de mholtaí an phápa faoi cheilt i moltaí an Uachtaráin Woodrow Wilson, ach anuas orthu sin, leag an pápa amach go bunúsach struchtúr na h-eagraíochta úd a bhí le bunú ní b'fhaide anonn sa bhliain 1919 agus a raibh 'Conradh na Náisiún' le baisteadh air ('Eagraíocht na Náisiún Aontaithe' ó 1945 i leith). Chomh maith céanna, bhí toradh ar shaothar Benedict XV maidir le gnoithí taidhleoireachta de, sa mhéid is go raibh an phápacht i gcroílár shaol na taidhleoireachta ó dheireadh an Chogaidh Mhóir i leith, san áit ar bheag an ról a bhí le himirt go dtí sin aici. Roimhe sin, ba bheag stát a raibh ionadaí creidiúnaithe aige i Stát na Vatacáine, ach is é an chaoi a bhfuil an scéal sa lá atá inniu ann gur beag stát nach bhfuil ionadaí sa Vatacáin aige.

Ba le linn réim Benedict XV, mar shampla, a sheol an Bhreatain *chargé d'affaires* chun na Vatacáine, an chéad ionadaí dá raibh aici chun na Cathaoireach Naofa ón 17ú aois ar aghaidh. Agus, i dtaca leis an Fhrainc de, a bhí in achrann leis an Phápa le fada an lá, d'éirigh le Benedict taidhleoir neamhghnách (*extraordinaire*) a sheoladh chun na tíre sin sa bhliain 1921. Agus muid ag athléamh na ndoiciméad éagsúla ó láimh Benedict XV mar gheall ar an Chogadh Mór, is doiligh linn gan mairgneadh a dhéanamh gur tugadh neamhaird iomlán orthu ag an am. Ainneoin dea-chomhairle agus chabhair phraiticiúil ollmhór an phápa thuisceanaigh chéillí seo, ní raibh pápa dár mhair – amach, b'fhéidir, ó phápa an Dara Chogaidh Dhomhanda, Pius XII – a ndearnadh a oiread cáinte air is a rinneadh ar Benedict XV.

Maidir leis an chabhair phraiticiúil a luadh cheana, ba í an charthanacht s'aige an ghné ba shuntasaí dá shaothar i rith an chogaidh agus ina dhiaidh. Ní h-é amháin gur chuir sé cabhair airgid chun na Beilge agus chun na Fraince in aimsir an chogaidh, ach sheol sé cuidiú airgid chun na Rúise ar a bheith thart dó. Chomh maith leis an chúnamh praiticiúil sin a tugadh don Rúis, nuair a thosaigh an Réabhlóid sa tír sin agus gur rinneadh géarleanúint ar an Eaglais Cheartchreidmheach, scríobh an pápa chuig Lenin ag impí air deireadh a chur leis an ghéarleanúint. Thug se cúig mhilliún go leith *lire* dá chuid airgid féin, agus sheol sé 30 milliún eile ar aghaidh, a bailíodh i dtíthe pobail ó Chaitlicigh ar fud an domhain, chuig tíortha a bhí ina ghátar.

Sula bhfágaimid cúrsaí cogaíochta agus polaitíochta inár ndiaidh, níor mhiste a mheabhrú gur thug Benedict XV an chéad chéim chun an 'Cheist Rómhánach' a réiteach nuair a thug sé a bheannacht i mí Bhealtaine 1920 don *Partito Popolare Italiano* (Páirtí Phobal na hIodáile), a bhunaigh Dom Luigi Sturzo (sagart ón tSicil) i mí Eanáir 1919. Ba ghníomh é seo a chuir ar ceal, d'fhéadfá a rá, an doiciméad *Non Expedit* a d'eisigh Pius IX ('Pio Nono') ar 29 Feabhra 1868, inar chros sé ar Chaitlicigh páirt ghníomhach a ghlacadh i saol polaitiúil na hIodáile. Sheol Benedict XV Achille Ratti (an té a raibh sé i ndán dó teacht i gcomharbacht air, Pius XI) mar chuairteoir aspalda chun na Pólainne agus na Liotuáine sa bhliain 1919, agus an bhliain dár gcionn, chuir sé Eugenio Pacelli (Pius XII níos déanaí) ina nuinteas chun na Gearmáine. Anuas air sin, i gceann dá aithisc dheiridh, ar 21 Samhain 1921, phléigh sé ceist na gconcordáidí nua a bheadh de dhíth de thairbhe atarraingt léarscáil na hEorpa i gConradh Versailles.

A Shaothar Eaglasta

Sa chéad imlitir úd *Ad Beatissimi Apostolorum Principis,* a d'eisigh Benedict XV ar Lá Samhna 1914, chomh maith le trácht ar chúrsaí an chogaidh, mar a chonaic muid cheana féin, d'fhill an pápa ar théama an nua-aimsearachais a raibh a réamhtheachtaí chomh buartha sin faoi. Bhí córas bunaithe cheana féin ag Pius X de dhaoine a choinneodh súil amach agus a sheolfadh faisnéis chun na Róimhe faoi aon duine a mbeadh an rian ba lú den nua-aimsearachas le brath ar a chuid saothair. Bhí Caitlicigh ar fud an domhain ag éirí rud beag buartha faoin lorgaireacht seo, rud a spreag Benedict lena cháineadh ina imlitir. D'agair sé Caitlicigh deireadh a chur leis an naimhdeas dhíobhálach idir lucht an nua-aimsearachais agus na fíréin dhiaganta úd a bhí ag cloí leis an traidisiún.

Ach cé gur thug an pápa le fios go raibh sé in éadan dian-thóraíocht a dhéanamh ar lucht tacaíochta an nua-aimsearachais, ní hionann sin is a rá nach raibh sé coimeádach go maith ina dhearcadh ar an chreideamh, go mórmhór i gcás na Scrioptúr. Ina imlitir *Spiritus Paraclitus* a d'fhoilsigh sé ar 15 Meán Fomhair 1920, ócáid chomórtha 1500 bliain bhás Naomh Iaróm, an mórscoláire bíobalta, (c. 342-420), threisigh sé le teagasc na hEaglaise faoi stairiúlacht na Scrioptúr; agus d'athdheimhnigh sé tuairim Naomh Iaróim gur chóir gach uile mhíniú ar na Scrioptúir bheith bunaithe ar chiall liteartha na bhfocal, agus nach bhfuil sé de cheart ag aon duine a mhaíomh go mbíodh údair an Bhíobla ag scríobh go meafarach. Rud eile a chuireann dlús leis an tuairim go raibh Benedict XV coimeádach go maith sa mhéid a bhaineann le teagasc traidisiúnta na hEaglaise is ea an feachtas tréan a bhí ar bun le linn na bhfichidí ag an Oifig Naofa, faoi choimirce an iar-rúnaí stáit, an cairdinéal Merry del Val, i gcoinne scríbhinní na scoláirí caitliceacha ba chlúití, ar nós Vigouroux, Touzard, Brassac, agus go háirithe an scoláire bíobalta cáiliúil Lagrange.

Ach is é is dóichí gurb é saothar an phápa i gcothú agus forbairt na misean is mó agus is fearr a thuill clú dó. Bhí sé féin agus a bheirt chomharba, Pius XI agus Pius XII, ina dtriúr ainmnithe as a dtacaíocht do na misin, rud a thabhaigh dóibh an teideal oinigh 'triúr mórphápa na misean'. Sa litir aspalda *Maximum Illud*, a d'fhoilsigh Benedict ar 30 Samhain 1919, d'impigh sé ar lucht na misean bheith ar a dteanndícheall le cléir dhúchasach a chothú sna h-áiteacha ina raibh na misin ar bun. Bhí an méid seo le rá aige sa litir:

'Is truamhéalach an ní é go bhfuil réigiúin ann ina bhfuil an creideamh caitliceach bunaithe leis na céadta bliain agus gan cléir dhúchasach ag gníomhú iontu fós, seachas ar an chéim is ísle; agus go bhfuil náisiúin ann a bhfuil solas an chreidimh le fáil iontu le fada an lá, agus iad tar éis teacht amach as staid na barbarthachta chun na sibhialtachta, ionas go bhfuil fir iontu a bhfuil an-chur amach acu ar chúrsaí na n-ealaíon agus na n-eolaíochtaí, ach a bhfuil teipthe orthu leis na céadta bliain easpaig dá gcuid féin a sholáthar, nó sagairt a mbeadh sé de chumas iontu dul i bhfeidhm ar a gcomhshaoránaigh.'

Ar Lá Bealtaine na bliana 1917 chuir Benedict XV an Comhthionól um Eaglais an Oirthir ar bun. Chuidigh sé seo, chomh maith le Institiúid Phointifiúil an Oirthir, a bhunaigh sé i litir dár teideal *Orientis Catholici* (15 Deireadh Fómhair 1917), le caidreamh idir Eaglais an Oirthir agus an Eaglais Chaitliceach a neartú, rud a bhí in aice le croí an phápa. Ní hé amháin sin ach bhí de thoradh ar an dá bheart fadbhreathnaitheacha sin aige gur mhaolaigh ar naimhdeas na Fraince don Eaglais. Dhá bheart eile a chabhraigh le maolú an naimhdis sin ab ea gur fhógair sé Jeanne d'Arc ina naomh ar 9 Bealtaine 1920, agus Marguerite Marie Alacoque ina naomh ar 13 Bealtaine na bliana céanna.

Sa tréimhse róghairid a deonaíodh dó mar phápa cruthaíodh naoi maoracht aspalda, ocht n-ardeaspagacha úra, 25 cinn d'easpagachtaí úra, 28 gcinn de bhiocáireachtaí aspalda agus dhá cheann de dhealagáideachtaí aspalda úra ar fud an domhain. Ní bréag a mhaíomh nach raibh caill air mar phápa a raibh an Cogadh Mór ina laincis air agus ina ábhar buartha dó ar feadh bhunús a réimis. Ba le linn a thréimhse sa Phápacht freisin a tháinig bláth ar shaothar Pius X i gcás chódú an dlí chanónda. Rinneadh an *Codex Iuris Canonici* ('Coidéacs an Dlí Chanónda) a fhógairt ar 28 Meitheamh 1917.

Meas domhanda air

Mar a chonaic muid thuas, chaith Benedict bunús a phápachta ag iarraidh réiteach a aimsiú ar chúiseanna an chogaidh agus teacht i gcabhair orthu siúd a bhí thíos leis. Fiú sular éag sé, tugadh aitheantas dá thréaniarrachtaí agus dá ollcharthanacht san ionad ba lú a mbeifí ag súil lena leithéid - in Iostanbúl (Cathair Chonstaintín), croílár an Mhahamadachais. Tógadh dealbh thaibhseach chré-umha den phápa, agus é faoi éide iomlán easpaig, sa chathair ársa sin. Turcaigh agus Giúdaigh araon a mhaoinigh an mórchomhartha ómóis seo, a rinne an t-ealaíontóir cáiliúil Iodáileach, Quattrini, a shnoí.

Fuair Benedict XV bás obann, in aois a 67 mbliain, ar 22 Eanáir 1922. Is é ba thrúig bháis dó ná an niúmóine a bhuail é i ndiaidh dó ulpóg throm a thógáil. Ba tar éis a bháis a ba léir cén meas mór a bhí air ar fud an domhain, agus b'fhollas ansin nárbh in aisce a shaothar agus an chabhair a bhronn sé go fial in aimsir an chogaidh. Tháinig na tuilte teachtaireachtaí comhbhróin chun na Vatacáine ó gach cearn den domhan, ní amháin ó náisiúin na hEorpa, beag agus mór, ach ó thíortha ní b'fhaide ar shiúl ná sin. Cuireadh an teachtaireacht seo a leanas, mar shampla, ó phairlimint thír bheag nach raibh a saoirse bainte amach aici ach le dornán míonna anuas:

'Glac go caoin carthanach leis an teachtaireacht seo a chuireann in iúl dólás croí phobal na hÉireann ar bhás an mhór-Phointíf, a léirigh dílseacht agus cion athar chomh mór sin dúinn.'

Bheifeá ag súil le focail mar sin ó thír na hÉireann, ar ndóigh, ach is éifeachtaí i bhfad a chuireann an teachtaireacht seo a leanas ó phobal na hÉigipte ar ár súile dúinn an t-ardmheas a bhí ar Benedict XV ar fud an domhain, go fiú i measc na Mahamadach:

'In ainm Mhoslamaigh na hÉigipte, is mian leis an Choiste i bPáras a gcomhbhrón croí a chur in iúl do na Críostaithe uile ar bhás tubaisteach a Naofachta, an Pápa Benedict XV, a bhí ina anam aspalda ag síocháin na Cruinne. A dhealbh bheith tógtha againn in Iostanbúl, príomhchathair an Ioslamachais, is sólás dúinn é, sa mhéid is go mbeidh a anam geanúil os comhair ár súl, agus is buanchuimhneachán í ar a iarrachtaí chun síocháin a chothú sa domhan, agus ar an mheas ollmhór a bhí aige ar an chóir, agus ar cheart an duine chun saoirse.'

Is beag a d'fhéadfaí a chur leis na focail sin mar fheartlaoi ar an phápa Benedict XV, fear fial flaithiúil lách a bhí forbhfáilteach le cách agus nár spáráil é féin ná a mhaoin pearsanta féin (ná maoin na hEaglaise) ionas nach mór go raibh an Vatacáin bancbhriste ar éag dó, agus nach raibh go leor airgid ann lena adhlacadh.

PIUS XI 1922 – 1939

A shaol roimh thoghadh ina phápa dó

Tháinig tríú pápa an XXú céad ar an saol ar 31 Bealtaine 1857. Rugadh Ambrogio Damiano Achille Ratti i Desio i gcomharsanacht Milano. Mac le bainisteoir mhonarcha shíoda a bhí ann. Rinneadh sagart de i mBaisleac na Lataráine sa Róimh ar 27 Nollaig 1879. Ar a oirniú dó chuaigh sé chuig Ollscoil Ghreagórach na Róimhe, mar ar bhain sé amach Ph.D. ar dtús agus ina dhiaidh sin dochtúireacht sa diagacht agus ceann eile sa dlí canónda.

Tar éis dó na dochtúireachtaí sin a ghnóthú, thosaigh sé ag teagasc dogma i gCliarscoil Shinsearach Milano, post inar

25

fhan sé ó 1883 go 1888. Toghadh é sa bhliain 1888 ina bhall de Choláiste na nDochtúirí i Leabharlann cháiliúil an *Ambrosiano* i gcathair Milano, a chuir Federico Borromeo (1564-1631) ar bun thart faoi 1605. Leabharlann is ea an *Ambrosiano* a mbeadh spéis faoi leith ag Éireannaigh inti, ar an ábhar gur inti a cuireadh i dtaisce, ag tús an naoú céad déag, cuid mhaith de lámhscríbhinní mhainistir Bobbio, an mhainistir dheireanach dár bhunaigh Naomh Colmbán timpeall na bliana 613. Ceapadh an tAthair Ratti ina stiúrthóir ar an *Ambrosiano* sa bhliain 1907. Bhí sé de chlú air gur fear maith teangacha agus palaegrafaí oilte a bhí ann faoin am seo, agus le linn dó bheith ag saothrú sa leabharlann sin chuir sé eagar ar théacsanna a bhain le seanmhainistir Bobbio, agus *Missale Duplex Ambrosianum* (Leabhar Aifrinn an *Ambrosiano),* a foilsíodh sa bhliain 1913.

I 1911, áfach, d'fhág sé Milano ó tharla gur ceapadh ina leas-stiúrthóir ar Leabharlann na Vatacáine sa bhliain sin é. Sa bhliain inar thosaigh an Cogadh Mór (1914) rinneadh stiúrthóir de ar an leabharlann iomráiteach. úd, agus d'fhan sé sa phost sin go dtí gur cheap an pápa Benedict XV é ina chuairteoir aspalda i bpoblacht úr na Pólainne, a bhí díreach tar éis ionadaí a sheoladh chun na Cathaoireach Naofa. I mí Mheithimh 1919 ceapadh Ratti ina ambasadóir chun na Pólainne, post ina raibh sé thar a bheith díograiseach. Dhiúltaigh sé glan Vársá a thréigean i mí Lúnasa 1920 agus ionsaí Boilséiveach á bhagairt ar an chathair sin. I mí Dheireadh Fómhair na bliana céanna sin, ainmníodh Achille Ratti ina easpag teidealach ar dheoise Lepanto. Ar cheapadh ina thoscaire phápach dó ar Choimisiún na gComhghuaillithe do dhúichí na Pobalbhreithe sa tSiléis, tharla easaontas idir é agus cuid de na baill, ós rud é go raibh a chomhbhá le Caitlicigh na Pólainne, rud a chuir d'fhiacha ar an phápa maide as uisce a thógáil dó. Nuair a fuair an Cairdinéal Ferrari, ardeaspag Milano, bás den ailse, ainmníodh Ratti ina ardeaspag ar Milano ar 13 Meitheamh 1921, agus bronnadh gradam cairdinéil go gairid ina dhiaidh sin air.

26

Treisiú le creideamh Phobal Dé

Ar éag do Benedict XV toghadh Achille Ratti ina phápa ar an 14ú chrannchur i dtionól cairdinéal 2-6 Feabhra 1922. Roghnaigh sé 'Pius XI' mar ainm dó féin, in ómós, is dócha, do Pius IX ('Pio Nono') agus do Pius X, a raibh gnaoi na ndaoine orthu le fada. Ceann de na chéad ghníomhartha dá ndearna sé mar phápa ná a bheannacht *urbi et orbi* a thabhairt ó bhalcóin Bhaisleac Pheadair, rud nár tharla ó 1870 i leith. Ba é an mana a thogh sé dá phápacht ná 'Síocháin Chríost i Ríocht Chríost' agus ba le haghaidh cur chun cinn na h-aidhme sin an uile ghníomh dá chuid a rinne sé as sin amach, féadtar a rá.

Ar 23 Nollaig 1922, d'fhoilsigh sé a chéad imlitir *Ubi Arcano* inar chuir sé bonn daingean faoin Saothar Chaitliceach – an ghluaiseacht úd a raibh a réamhtheachtaithe go mór i bhfách léi – le súil go n-athbhunófaí sochaí a bheadh ar maos le spiorad Chríost agus go mbeadh gach uile ghné den saol poiblí faoi anáil chreideamh agus theagasc morálta na hEaglaise athuair. Is furasta a fheiceáil go raibh an beart sin ag teacht lena mhana, 'síocháin Chríost i ríocht Chríost', is é sin go mbeadh an Eaglais gníomhach i ngach uile ghné den sochaí agus nach mbeadh sí ag seasamh i leataobh ón saol. Sampla eile de sin is ea gur eisigh sé imlitir, *Quas primas,* ar 11 Nollaig 1925 lenar chruthaigh sé Féile Chríost Rí., a chomórfaí ar an Domhnach deireanach den bhliain eaglasta.

Ar 31 Nollaig 1929 foilsíodh a imlitir *Divini Illius Magistri,* a chuir prionsabail an oideachais chríostaí os comhair Phobal Dé, agus a chuir i gcoinne mhonoplacht an Stáit i gcúrsaí oideachais. Rinneadh idirdhealú inti idir chearta oideachais an teaghlaigh agus na hEaglaise, ar thaobh amháin, agus cearta an Stáit ar an dtaobh eile.

An bhliain dár gcionn, 30 Nollaig 1930, d'eisigh Pius XI a imlitir thábhachtach *Casti Connubii* inar phléigh sé an pósadh críostaí. Phléigh sé inti saintréithe an phósta chríostaí maidir le breith páistí, muinín na lánúine as a chéile, agus a gcráifeacht. Chuir an pápa ar a súile do Chaitlicigh na nithe éagsúla a raibh an pósadh críostaí i mbaol uathu: ba iad seo 'póstaí trialacha', póstaí 'sealadacha', póstaí measctha, an ginmhilleadh, an t-aimridiú, rialú an tuismidh, an colscaradh agus nithe eile nach iad. D'iarr an pápa ar Chaitlicigh bheith dílis d'aitheanta Dé agus urraim a bheith acu do na grástaí a thagann ó shacraimint an phósta.

Mar chuimnneachán daichead bliain ar fhoilsiú *Rerum Novarum* (15 Bealtaine 1891), imlitir chlúiteach an Phápa Leo XIII mar gheall ar an sochaí chríostaí, chuir Pius XI a imlitir *Quadrigesimo anno* amach ar 15 Bealtaine 1931. San imlitir seo chuaigh sé beagán beag ní ba fhaide ina éilimh ná Leo XIII. I measc nithe eile, mar shampla, dhearbhaigh sé ceart an oibrí ar phá chóir. Bhí tábhacht faoi leith ag baint leis an éileamh sin, óir faoin am seo bhí géarchéim airgeadais agus fostaíochta ann ar fud an domhain, agus bhraith an pápa go mba chóir dó forlíonadh dár teideal *Nova Impendet* a chur lena imlitir ar 2 Deireadh Fómhair na bliana céanna. Chomh maith le plé a dhéanamh ar na géarchéimeanna airgeadais agus fostaíochta, cháin sé rás idirnáisiúnta na n-arm cogaidh.

Bhí Pius XI an-bhuartha faoin anró agus an bhochtaineacht a bhí ag dul i méid i rith an ama de thoradh ghéarchéim eacnamaíochta idirnáisiúnta na bliana 1929. Chun a chrá croí a léiriú sheol sé imlitir dar teideal *Caritate Christi* ar 3 Bealtaine 1932, inar impigh sé ar Chríostaithe an charthanacht, an urnaí, an aithrí agus deabhóid do Chroí Ró-Naofa Íosa a chleachtadh mar sciath chosanta in éadan na hainnise agus an chruatain a bhí go forleathan ar fud an domhain.

Bhain an pápa leas as blianta iubhaile 1925, 1929 agus 1933, agus as comhdhálacha eocairisteacha, le cur i gcuimhne do Chaitlicigh ar fud na cruinne gur chóir dóibh a n-aigne a dhíriú ar Chríost agus ar a ríocht, de réir an mhana a thogh sé dá phápacht. Modh eile a tharraing sé chuige d'fhonn an creideamh a chothú agus a chur ar aghaidh ná roinnt mhaith daoine a raibh clú is cáil orthu as a gcráifeacht agus iad ar an saol seo a chanónú ina naoimh. Ar 17 Bealtaine 1925, mar shampla, d'ainmnigh sé Thérèse Lisieux ('Bláithín', 1873-1897) ina naomh, agus sa bhliain 1934 Eoin Bosco (1815-1888). I mí na Bealtaine 1935, rinne sé beirt Shasanach: John Fisher (1469-1535) agus Thomas More (1478-1535) a chanónú.

D'ardaigh sé ceathrar fear ina ndochtúirí de chuid na hEaglaise agus an cuspóir ceanann céanna ar intinn aige. B'iad an ceathrar sin ná Peter Canisius (1521-1597) – a d'ainmnigh sé ina naomh ar an ócáid chéanna sa bhliain 1929; Eoin na Croise (1542-1591), sa bhliain 1926, Albertus Magnus (c.1200-1270), agus Roberto Bellarmine (1542-1621) sa bhliain 1931.

Córais rialtais aindiacha

Mar iarmhairt ar an Chogadh Domhanda (1914-1918) tharla mórathruithe i saol eacnamaíoch agus i struchtúr sóisialta thíortha áirithe ar fud an domhain, agus go háirithe ar fud na hEorpa, a chorraigh na heaglaisí críostaí iontu. De bharr na n-athruithe seo, tháinig claochló iomlán ar shaol náisiúnta na gcríocha sin, go mórmhór i gcúrsaí creidimh, óir bhí bunús na rialtas úd aindiach, ainchreidmheach agus gan ar intinn acu ach teacht idir Dia agus an duine. San Iodáil ba é an faisisteachas a tháinig i dtreis. Ina imlitir *Non Abbiam Bisogno* (5 Iúil 1931), ab éigean don Monsignor Francis Spellman as Nua Eabhrac a thabhairt amach faoi cheilt as an Iodáil chun go bhfoilseofaí í sa Fhrainc, d'ionsaigh sé an idé-eolaíocht fhrithdhaonna seo a raibh an Stát mar ábhar adhartha aici in ionad Dé.

Os a choinne sin, ba é an sóisialachas náisiúnta – agus an ciníochas agus an frith-Ghiúdachas a ghabh leis – a tháinig chun cinn sa Ghearmáin. Chuir Pius XI ina choinne go mion minic, agus go háirithe ina imlitir *Mit brennender Sorge* (14 Márta 1937), a ndéanfaidh muid tagairt di athuair thíos. Sa Rúis ba é an boilséiveachas, bunaithe ar an chumannachas Marxach, a tháinig i dtreis, idé-eolaíocht ainchreidmheach a cháin an pápa go tréan ina imlitir *Divini Redemptoris* a d'eisigh sé ar 19 Márta 1937.

Réiteach faoi dheoidh ar an 'Cheist Rómhánach'

Bhí sé d'ádh ar an phápa Pius XI beirt fhear thar a bheith ábalta agus cliste bheith ag feidhmiú mar rúnaí stáit le linn a réimis, duine i ndiaidh an duine eile. I dtús báire, bhí Pietro Gasparri (a ndearnadh cairdinéal de ar ball) sa phost rí-thábhachtach seo idir 1922 agus 1930, agus Eugenio Pacelli, a raibh sé i ndán dó teacht i gcomharbacht air féin mar phápa, idir 1930 agus 1939. Lena gcabhair siúd dhréacht Pius XI concordáidí agus comhaontaithe eile le scór stát.

Bhí comhairle agus cabhair Gasparri thar a bheith tábhachtach, agus an 'cheist Rómhánach' faoi chaibidil. Ba cheist í seo a bhí ina chnámh spairne riamh ó 1870 ar aghaidh agus gan réiteach ar bith le fáil uirthi go dtí seo. Bhí fonn, áfach, ar Mussolini, a bhí i gcumhacht san Iodáil ag an am, deireadh a chur leis an ábhar conspóide seo idir an Stát agus an Vatacáin, go mórmhór ó b'fheasach dó go maith an chumhacht agus an tarraingt a bhí ag an Eaglais ar phobal na hIodáile. Mhair na comhchainteanna dhá bhliain go leith, bhí siad achrannach go leor in amanna, ach i ndeireadh báire rinneadh socrú sásúil go leor leis an Vatacáin i gConradh na Lataráine, a síníodh ar 11 Feabhra 1929.

De réir an Chonartha seo:

(i)   thug Stát na hIodáile aitheantas don Vatacáin mar chathair-stát neamhspleách (Ba é *Stato della Citta del Vaticano* an teideal oifigiúil). Ba é seo an stádas (agus an t-údarás a ghabhfadh leis) a bhí chomh mór sin in easnamh ar Benedict XI agus an Céad Cogadh Domhanda ar siúl;

(ii) síníodh concordáid trínar aithníodh an 'creideamh Caitliceach mar aon-reiligiún Stát na hIodáile feasta'. Bheadh mionn dílseachta don Rí le tabhairt ag gach easpag nua roimh dul i mbun a dheoise dó. Bheadh cead ag an Eaglais Chaitliceach an teagasc Críostaí a mhúineadh sna scoileanna, agus chomh maith leis sin, d'aithneodh an Stát oird rialta, cumainn chrábhaidh, agus póstaí caitliceacha a cheiliúrfaí de réir dhlí canónda na hEaglaise;

(iii) thabharfadh an Stát 1.7 milliún *lire* don Vatacáin mar chúiteamh ar chaillteanas thailte na heaglaise i lár na hIodáile. Bheadh lánchead as sin amach ag an Saothar

Chaitliceach gníomhú ar fud na hIodáile, ar an gcoinníoll nach mbeadh baint ná páirt ag an ghluaiseacht leis an pholaitíocht.

Bhí idir Stát agus Eaglais sásta leis an socrú seo, taobh amuigh de chúpla duine sa *Curia,* an Monsignor Montini (Pól VI ina dhiaidh sin) ina measc, a bhí amhrasach go maith faoi éifeachtúlacht an Chonartha. Nuair a cuireadh deireadh le monarcacht na hIodáile sa bhliain 1946, rinneadh rialúcháin Chonradh na Lataráine a dhlúthú i mBunreacht úr Phoblacht na hIodáile.

Ba é síniú an Chonartha sin an gníomh polaitiúil ba mhó a rinneadh le linn do Pius XI a bheith i réim. Cé go raibh deacrachtaí áirithe sa bhliain 1931 ag baint le cur i bhfeidhm an Chonartha, níor cuireadh deireadh leis. Sa bhliain 1938 áfach tháinig an tuar faoi thairngreacht Montini nuair a ligeadh caidreamh na Vatacáine le Stát faisisteach na hIodáile chun siobarnaí, de bhrí gur ghlac na faisistigh le teagasc ciníoch rialtas na Gearmáine, agus gur chuir Mussolini gluaiseachtaí caitliceacha don aos óg faoi chois.

An Ghearmáin Naitsíoch

Maidir le caidreamh na Vatacáine leis an Ghearmáin, ceapadh thart faoin bhliain 1933 go rabhthas ar tí comhréiteach den chineál céanna a dhéanamh le *régime* Hitler, ach 'ní mar a shíltear ach mar a chinntítear'. Sa bhliain 1930, rinne easpag Mainz an naitsíochas a cháineadh go géar, agus d'fhógair sé nár chóir do Chaitliceach ar bith ballraíocht a ghlacadh i bpáirtí na Naitsíoch, agus dá nglacfadh, go ndiúltófaí na sacraimintí dó.

Bhí tacaíocht an Pháirtí Láir (an páirtí a chuireadh dearcadh na gCaitliceach chun cinn ón bhliain 1852) de dhíth go géar ar Hitler. Bhí súil aige, lena dtacaíochtsan, na cumhachtaí breise a shantaigh sé a fháil. Dheimhnigh sé arís agus arís eile go raibh sé fabhrach don Eaglais agus thug sé leid i ndiaidh leide go raibh concordáid leis an Vatacáin beartaithe aige, rud a thug ar easpaig na tíre a naimhdeas do rialtas Hitler a mhaolú rud beag agus gan diúltú a thuilleadh comhoibriú leis. Ar an ábhar sin bhí fonn ar an Vatacáin concordáid a shíniú le Hitler, rud a rinneadh ar 20 Iúil 1933. Dar ndóigh bhí an dearg-ghráin ag Pius XI ar an chumannachas ainchreidmheach, agus is féidir go raibh sé seo ar cheann de na cúiseanna a thug ar an bpápa an choncordáid a shíneadh leis na Naitsithe chomh sciopta sin.

Ainneoin nár tharraing easpaig na Gearmáine siar a ndamnú ar bhunphrionsabail an naitsíochais, síníodh an choncordáid go breá gasta agus, dá bharr sin, méadaíodh ar stádas polaitiúil Hitler i measc tíortha nach raibh ró-bháúil leis, ach bhí de thoradh ar an choncordáid, chomh maith, gur sádh gobán i mbéal na gCaitliceach Gearmánach úd a bhí i gcoinne Hitler.

Níorbh fhada an choncordáid sínithe, áfach, go bhfacthas go soiléir fíorghnúis aindiach an naitsíochais. Tosaíodh athuair ar ghéarleanúint a chur ar Chaitlicigh na Gearmáine, agus mar thoradh air sin b'éigean don phápa, idir 1933 agus 1936, 34 nóta cáinte a sheoladh chuig rialtas Hitler, ach níor tugadh freagra dá laghad ar an mhórchuid acu. Chomh maith leis sin, is ar éigean a bhí an choncordáid deich lá i bhfeidhm nuair a fógraíodh dlí diúltach, díobhálach a cheadaigh an t-aimridiú a chleachtadh ar fud na Gearmáine. I mí na Samhna 1933 rinne easpaig na Baváire casaoid in aghaidh daoine a chur i bpríosún gan triail, in aghaidh ionsaithe ar chumainn chaitliceacha, agus sárú an Domhnaigh a bhí á chleachtadh sa chuid sin den Ghearmáin. An mhí sin fosta, labhair an cardinéal Michael von Faulhaber, ardeaspag Munchen, ina sheanmóirí Aidbhinte ar son na nGiúdach agus in éadan na géarleanúna a bhí á cur orthu.

Ansin sa bhliain 1934, cuireadh cosc ar thréadlitir de chuid easpaig na tíre, agus oíche an 30 Meithimh ('oíche na sceana fada', mar a thugtar uirthi de ghnáth) dúnmharaíodh cuid mhaith daoine a bhí i gcoinne *régime* na naitsíoch, ina measc an Dr Klausener a bhí i mbun Shaothar Chaitliceach i gcathair Bheirlin.

Go luath sa bhliain 1937, mar gheall ar an chos ar bolg a bhí ar siúl ag na naitsígh ar phobal chaitliceach na Gearmáine, chinn an Pápa Pius XI ar imlitir a chur i dtoll a chéile, le cúnamh an chairdinéil von Faulhaber. Eisíodh an imlitir *Mit brennenden Sorge* ar 14 Márta. Bhí ar an phápa a shocrú, áfach, go dtabharfaí isteach chun na Gearmáine faoi choim í, go gclóbhualifí i ngan fhios do na húdaráis í, go scaipfí ar na paróistí uilig agus go léifí amach ó altóirí na tíre í ar Dhomhnach na Slat (21 Márta 1937). San imlitir seo cháin an pápa go fíochmhar a liacht uair a bhris na naitsithe an choncordáid, agus tháinig sé anuas go tréamanta ar theagasc aindiaga agus ar ghníomhartha ainchríostaí na naitsíoch, agus dhearbhaigh sé, gan fiacail a chur ann, go raibh an naitsíochas glan in aghaidh na Críostaíochta.

An Fhrainc agus an Spáinn

Bhí an scéal ní b'fhearr sa Fhrainc. Bhí feabhas measartha mór tagtha ar chaidreamh na tíre sin leis an Vatacáin le linn réimeas Pius XI. De thoradh na h-imlitreach *Maximam gravissimamque* (18 Eanáir 1924) thángthas ar chomhréiteach ar fhadhbanna éagsúla a d'eascair as Dlí na Scartha, a reachtaíodh thiar sa bhliain 1905 agus a chuir glanscaradh idir an Eaglais agus an Stát i bhfeidhm; agus chuir Pius XI dlús le h-iarrachtaí Benedict XV chun caidreamh ní b'fholláine a chothú idir an Chathaoir Naofa agus rialtas Treas Poblacht na Fraince, go háirithe nuair a athbhunaíodh caidreamh taidhleoireachta eatarthu i mí na Nollag 1921. Rinne Pius XI a mhíle dícheall easpaig a cheapadh sa Fhrainc a bheadh toilteanach comhoibriú leis an rialtas. Anuas air sin, cháin sé go géar an ghluaiseacht náisiúnta mhonarcach *Action Francaise* i litir a scríobh sé chuig an chairdinéal Pierre Andrieu, ardeaspag Bordeaux ar 5 Meán Fómhair 1926. Tar éis machnaimh fhada, rinne an pápa iad siúd uilig a raibh baint acu le *Action Francaise* a choinnealbhá, ar an ábhar go raibh an ghluaiseacht sin, dar leis, ainchreidmheach agus nuaphágánach.

A mhalairt ar fad a tharla sa Spáinn, d'fhéadfaí a rá. Ar theacht i gcumhacht don rialtas poblachtach, i ndiaidh don Rí Alfonso XIII an choróin a thabhairt suas sa bhliain 1931, cuireadh tús le ré fhíochmhar frithchléireachais. Éiríodh as tuarastal a íoc leis an chléir, cuireadh Cumann Íosa faoi chois, cuireadh bac ar obair oird chrábhaidh eile, rinneadh ionsaithe ar thithe pobail agus ar mhainistreacha, agus tugadh isteach dlí a cheadaigh colscaradh. Rinne Pius XI casaoid ghéar faoi na cinnidh seo uile ina imlitir, *Dilectissima nobis,* a d'fhoilsigh sé ar 3 Meitheamh 1933. Nuair a thosaigh Cogadh Cathartha na Spáinne i mí Iúil 1936, méadaíodh ar na hionsaithe ar Chaitlicigh, idir chléir is thuataí, agus dódh go talamh clochair agus mainistreacha. Smacht dá laghad ní raibh ag an rialtas poblachtach ar na fórsaí a rinne na huafáis seo go léir. Ní hiontas ar bith é gur thug an pápa tacaíocht don Ghinearál Franco nuair a d'fhill seisean abhaile ón Afraic le troid in éadan na bpoblachtach sa Chogadh Cathartha. Cé go mba faisisteach é Franco, ar a laghad ba Chaitliceach é chomh maith.

Tíortha eile

I gcodarsnacht leis an Spáinn, is amhlaidh a tháinig feabhas beag at staid na hEaglaise sa Phortaingéil le linn réimeas Pius XI, dála mar a tharla sa Fhrainc. Athbhunaíodh caidreamh taidhleoireachta idir an tír sin agus an Vatacáin, rud a chuidigh go mór le cairdeas agus comhoibriú idir an Eaglais agus an Stát.

Ach ba scéal eile é i Meicsiceo, tír inar chuir an tUachtarán Calles coinníollacha cruálacha Bhunreacht 1917 i bhfeidhm, agus chuir géarleanúint fhíochmhar ar an Eaglais. In imlitir a d'fhoilsigh Pius XI ar 18 Samhain 1926 chuir sé an ghéarleanúint a bhí á cur ar Caitlicigh Mheicsiceo i gcosúlacht leis an ghéarleanúint a chleachtadh an tImpire Rómhánach Diocletian fadó, agus cháin sé nuachtáin an domhain as fanacht ina dtost mar gheall ar na himeachtaí scéiniúla a bhí ag tarlú. Bíodh is gur tháinig feabhas beag ar an scéal ar ball, bhí ar Pius XI filleadh ar an ábhar arís is arís eile sna blianta ina dhiaidh sin. Níor tháinig feabhas dáiríre ar shaol na gCaitliceach i Meicsiceo go dtí na daichidí.

Táthar den tuairim gur féidir go ndearna Pius XI botún, áfach, i gcás na hAetóipe. Rinne fórsaí Mussolini ruathar ar an tír sin sa bhliain 1937 agus níorbh fhada go raibh smacht iomlán ag an Iodáil ar an Aetóip. Tharla go raibh an Vatacáin ag tnúth, dá bharr seo, go dtiocfadh eaglais ársa Choptach na hAetóipe faoi anáil na hEaglaise Caitlicí. Ar a bheith thart don chogaíocht, labhair an pápa faoi 'ollgairdeas cine mhóir mhaith' ag trácht ar bhua Mussolini, cé go raibh sin i bhfad ón fhírinne. Ar chaoi ar bith is amhlaidh a chuir an ráiteas sin a oiread oilc ar mhuintir na hAetóipe, agus go háirithe ar Choptaigh, gur cuireadh siar go mór pé seans a bhí ann go n-aontófaí an dá eaglais ag an bpointe sin. Déanta na fírinne, ní raibh ann ó thaobh an phápa de ach 'aisling de réir mian', agus má ba bhotún a rinne sé, ba dhoiligh earráid ar bith eile a aimsiú a rinne Pius XI le linn a réime mar phápa.

Cúrsaí oideachais agus eolaíochta

Maidir le saothar Pius XI i gcúrsaí oideachais de, ní haon ionadh go raibh spéis as cuimse aige san oideachas, ó tharla é bheith ina scoláire aitheanta. Mar a chonaic muid thuas, chruthaigh sé agus é i leabharlanna an *Ambrosiano* agus an *Vaticano* gur phalaegrafaí oilte agus fear maith teangacha a bhí ann. Ní hé amháin gur bunaíodh ollscoileanna úra caitliceacha faoina choimirce i gcathair Milano (Ollscoil an Chroí Ró-Naofa), san Ísiltír agus sa Phólainn, ach chuir sé an Institiúid Phointifiúil um Léann Oirthearach ar bun sa Róimh. Thóg sé foirgneamh úr don *Gregoriano* (an Ollscoil Ghreagórach) inar lonnaigh sé an Institiúid seo, agus an Institiúid Bhíobalta. Is follas go raibh a chroí sa *Vaticano* ar fad, óir mhéadaigh sé, agus chuir sé ar bun sa Róimh an Institiúid Rómhánach um Seandálaíocht Chríostaí, agus d'athlonnaigh Réadlann na Vatacáine, lena threalamh nua-aimseartha, amach go Castel Gandolfo. Sa bhunreacht aspalda *Deus scientiarum Dominus,* a eisíodh ar 24 Bealtaine 1931, leag sé síos curaclam úrnua do choláistí caitliceacha ar fud na cruinne.

Le filleadh nóiméad ar chúrsaí cultúrtha, chuir Pius XI spéis ar leith sa cheol eaglasta agus san ealaín eaglasta. Tharla go raibh bailiúchán mór pictiúr ag an Vatacáin, agus thug sin air dánlann faoi leith a bhunú. Rud eile de, thuig sé go rí-mhaith cé chomh tábhachtach is a bhí sé go mbeadh eagar maith ar annála agus doiciméid eile, ó thaobh na staire de, agus dá bharr sin d'iarr sé ar easpaig na hIodáile a gcuid cartlann a choinneáil suas chun dáta. B'intuigthe as sin go raibh sé ag iarraidh ar easpaig ar fud an domhain aithris a dhéanamh ar a gcomhghleacaithe san Iodáil.

Na misin

An plean a leagadh síos i litir an Phápa Benedict XV, 30 Samhain 1919, faoi obair na misean, cuireadh i gcrích le linn réimeas Pius XI é. D'athlonnaigh sé ceanncheathrú an Chumann um Craobhscaoileadh an Chreidimh ó Lyons na Fraince chun na Róimhe, agus socraíodh go mbeadh an cumann sin freagrach feasta as an uile ghné d'obair na misean - bailiú airgid san áireamh. Chuir an pápa d'fhiacha ar gach ord rialta agus gach ord crábhaidh tabhairt faoi obair mhiseanach. Is faoina choimirce chomh maith a eagraíodh Taispeántas na Misean sa Vatacáin sa bhliain 1925, agus tamall ina dhiaidh sin cuireadh ar bhuan-taispeáint sa Lataráin é mar mhúsaem miseanach agus eitneolaíoch.

D'eisigh Pius XI an imlitir *Rerum Ecclesia* ar 28 Feabhra 1926 inar chuir sé i gcuimhne don phobal caitliceach saintréithe intleachta agus cultúir na gciníocha éagsúla a rabhthas ag iarraidh Soiscéal Chríost a scaipeadh ina measc, agus inar thug sé foláireamh do Phobal Dé urraim a thabhairt do na saintréithe sin agus gan díspeagadh dá laghad a dhéanamh orthu. Ina theannta sin rinne an pápa rud a rabhthas anuas air mar gheall air, is é sin go ndearna sé an chéad seisear easpag Síneach a choisreacan. Sa bhliain 1920, seoladh Celso Constantini (ar deineadh cardinéal de ina dhiaidh sin) mar thoscaire aspalda chun na Síne agus é mar dhualgas air na chéad easpaig den chine Shíneach a thoghadh. Dúirt misinéir na Síne leis nach raibh sagairt ar bith ann a bheadh oiriúnach don árdú céime sin. Nuair a cuireadh an scéala sin in iúl don Phápa, ba é a fhreagra ar Constantini nárbh fhearr rud a dhéanfadh sé ná dul amach agus gan a thuilleadh scéala a chur ar ais chuige nó go mbeadh sagairt oiriúnacha aimsithe aige. D'éirigh leis i dtús báire an tAthair Tchao a fháil agus ba ghearr ina dhiaidh sin go bhfuair sé na hAithreacha Sun, Theng,

Chen, Hu agus Tou. Rinne Pius XI an seisear sin a choisreacan i mBaisleac Naomh Peadar sa Róimh ar 28 Deireadh Fómhair 1926. An bhliain dar gcionn, ar 30 Deireadh Fómhair 1927, choisric sé céad easpag Nagasaki na Seapáine. Rinne sé tuilleadh easpag de chiníocha dúchasacha a choisreacan sa bhliain 1933, san India, sa tSín agus san Áise Thoir-Theas.

Ar theacht i gcoróin do Pius XI, bhí thart ar 3,000 sagart de bhunadh dhúchasach sna tíortha miseanacha, ach faoin am a raibh a phápacht ag tarraingt chun deiridh bhí an líon sin méadaithe go corradh agus 7,000. Ag tús a ré mar phápa, ní raibh oiread agus deoise mhiseanach amháin faoi stiúir dhúchasach, ach ag foirceann a ré, bhí daichead acu ann. Ina theannta sin, cuireadh dhá chéad biocáireachtaí agus maorachtaí ar bun le linn a réimis, agus méadaíodh ar líon na bhfíréan sna tíortha miseanacha ó naoi milliún go milliún is fiche. Ní beag an dul chun cinn sin a rinneadh i seal measartha gearr.

Anuas air sin leagadh síos san bhunreacht aspalda *Deus scientiarum dominus* (24 Bealtaine 1931), a ndearna muid targairt dó cheana, go gcuirfí an mhisean-eolaíocht ar chúrsaí diagachta na gcliarscoileanna feasta, agus cuireadh dámh misean-eolaíochta ar bun san Ollscoil Ghreagórach chomh maith.

Bhí Pius XI go mór i bhfách leis an Eaglais Cheartchreidmheach agus an Eaglais Chaitliceach a athaontú. San imlitir *Rerum orientalium* a foilsíodh ar 8 Meán Fómhair 1928, d'iarr an pápa ar Chaitlicigh eolas a chur ar Eaglaisí an Oirthir. Sa bhliain 1929, chuir sé an cairdinéal Gasparri i mbun dlíthe Eaglaisí an Oirthir a chódú. Gníomh eile a rinne sé, mar chomhartha ómóis do na heaglaisí ceartchreidmheacha, ná cairdinéal a dhéanamh den phatrarc Tappouni, de chuid ríotas na Siria. D'ainneoin dian-iarrachtaí Pius XI an dá eaglais a shnaidhmeadh le chéile athuair, áfach, d'fhan siad scartha óna chéile.

Os a choinne sin ní raibh dúil rómhór ag an phápa seo sa ghluaiseacht éacúiméineach phan-Phrotastúnach a bhí ar siúl ins na fichidí. Cé gur cheadaigh sé comhchainteanna idir Chaitlicigh is Anglacánaigh i Malines na Beilge idir 1921 agus 1926, faoi choimirce an chairdinéil Désiré Mercier, agus gur thacaigh sé leo i dtús báire, chuir sé anbhuain agus olc ar a lán - idir Phrotastúnaigh agus Chaitlicigh - nuair a d'fhógair sé, in imlitir a d'eisigh sé ar 6 Eanáir 1928, nach bhféadfadh 'Eaglais Chríost' bheith ina cónascadh de chomhairlí neamhspleácha, agus teagaisc dhifriúla ag an uile cheann acu. Ní hé amháin sin ach chros sé ar Chaitlicigh páirt a ghlacadh as sin amach i gcomhchomhairlí le dreamanna neamhchaitliceacha.

Cogadh ag bagairt arís

Agus a réimeas mar phápa ag tarraingt chun críche, ba léir go raibh cogadh ag bagairt ar an Eoraip arís. Bhí Hitler ag lorg *Lebensraum* (spás cónaithe breise), mar a thug sé féin air, do na Gearmánaigh, rud a mheall é le hionradh a dhéanamh ar an Ostair agus ar an tSeicslóvaic, an dá thír sin a ghabháil, agus a fhógairt mar chuid den *Reich*. Ba é an t-ionsaí a rinne sé ar an Pholainn, áfach, i mí Mheán Fómhair 1939, a chuir an lasóg sa bharrach, agus a chuir tús leis an Dara Cogadh Domhanda. Ach bhí Pius XI ar shlí na fírinne roimhe sin. Buaileadh tinn é i dtús na bliana sin agus fuair sé bás ar 10 Feabhra 1939.

Bhí dhá ghné faoi leith ag baint le pápacht Pius XI. Ar an gcéad dul síos, ní raibh ach slí amháin, dar leis, chun síocháin domhanda a bhaint amach, agus b'shin ríocht Chríost a bheith i bhfeidhm ar an uile ghné den saol daonna. Ar an dara dul síos, ba é buandualgas aspalda an uile Chríostaí dul i bhfeidhm, gan stad gan staonadh, ar an *milieu* inar chuir Dia é, idir áit agus am. Chaith Pius XI dúthracht agus díograis a shaoil ag iarraidh an dá ghné sin a chur chun cinn. Bhí sé tuigthe go maith aige nach raibh dóigh ar bith eile ann le dúil an chine dhaonna sa tsíocháin a neartú agus srian a chur leis an náisiúnachas agus an chiníochas. Bhí an ceart aige, óir bhris an cogadh amach – an cogadh a bhí á thuar le fada aige – ocht mí tar éis a bháis.

PIUS XII 1939 – 1958

Cúlra agus óige

Tháinig Eugenio Maria Giuseppe Giovanni Pacelli ar an saol i mbloc árasán i sráid bheag dárbh ainm Via degli Orsini i gcroílár chathair na Róimhe ar 2 Márta 1876, an dara mac ag Filippo Pacelli, dlíodóir agus déan dlíodóirí na Vatacáine, agus Virginia Graziosa. Tráth a bhí ann nach raibh mórán airde ag na gnáthdhaoine ar an chreideamh, ná mórán measa acu ar an phápa, ach tharla go raibh muintir Pacelli éagsúil ar an dóigh sin, sa mhéid is go dtugadh siad tacaíocht thréan don phápa agus go raibh siad thar a bheith cráifeach. Bhí Filippo, athair Eugenio, ina bhall de Threas Ord Naomh Proinsias, mar shampla. Agus ba sa *milieu* sin a d'fhás Eugenio óg, a dheartháir is sine, Francesco, is a bheirt dheirfiúr, Giuseppina agus Elisabette, aníos.

Ba dhual do bunadh Pacelli, ar ndóigh, bheith báúil leis an phápa, óir is amhlaidh a chuaigh athair Filippo, Marcantonio, a bhí ina dhlíodóir fosta, in éineacht leis an phápa Pius IX nuair a bhí air siúd teitheadh ón Róimh agus aghaidh a thabhairt ar Gaeta sa bhliain 1848. Trí bliana ina dhiaidh sin, ceapadh Marcantonio ina fho-rúnaí i roinn ghnóthaí intíre rialtas an phápa, agus sa bhliain 1861 chuir sé féin agus roinnt daoine eile nuachtán oifigiúil na Vatacáine, *L'Osservatore Romano,* ar bun.

Rud eile de, bhí páirt an-mhór ag Francesco, aon-dheartháir Eugenio, a bhí ina dhlíodóir, sna comhchainteanna idir Pius XI agus Rialtas na hIodáile, le linn do Chonradh na Lataráine bheith á phlé roimh 1929.

Mar sin bhí cúrsaí dlí agus tacaíocht don phápa sa dúchas ag Eugenio Pacelli. Ní hé amháin go raibh sé féin iontach meabhrach, ach ba luath ina shaol a d'aibigh an chríonnacht ann. Chuaigh sé faoi lámh easpaig, mar shampla, agus gan é ach cúig bliana d'aois. Bhí sé ina chléireach Aifrinn sa séipéal ar a dtugtar an *Chiesa Nuova* ('an Séipéal Nua') lámh lena bhaile féin, an áit inar adhlacadh Naomh Filippo Neri, agus an séipéal ar dhual dó féin seal gairid a chaitheamh mar shagart cúnta ann ar a oirníú dó.

Fuair Eugenio óg a bhunoideachas i ndá bhunscoil bheaga áitiúla agus chuaigh ar aghaidh go meánscoil stáit, Ardscoil Visconti, mar a raibh tréan failleanna aige a chreideamh a chosaint ar ionsaithe a chomhscoláirí. Le linn dó bheith ar scoil, chuir Eugenio an-dúil ar fad sa Laidin, sa léitheoireacht agus sa cheol clasaiceach. Bhé sé ina veidhleadóir oilte agus ina scoláire cumasach teangacha.

I samhradh na bliana 1894, d'aithin sé gairm chun na sagartachta agus cuireadh go dtí an *Collegio Capranica* é. Tar éis bliana, áfach, theip ar a shláinte agus b'éigean dó éirí as an staidéar ar feadh tamaill. Chaith sé seal i dteach samhraidh mhuintir Pacelli in Onano, lastuaidh den Róimh, go dtí gur tháinig sé chuige féin arís, agus ar fhilleadh ar an chathair dó, tugadh cead dó leanúint dá chúrsa léinn agus cónaí taobh amuigh den choláiste.

Rinne sé a chúrsa fealsúnachta sa *Gregoriano* agus a chúrsa diagachta i *Sant'Appolinare* – ar a dtugtaí ina dhiaidh sin 'Ollscoil na Lataráine' *(Laterano)*. Rinneadh sagart d'Eugenio Pacelli ar 2 Aibreán 1899 agus léigh sé a chéad Aifreann i Séipéal Borghese i mBaisleac Naomh Muire Mhór sa Róimh an lá dár gcionn. Mar a dúradh roimhe seo, chaith sé tamall beag ina shagart cúnta sa *Chiesa Nuova* sular thug sé faoin staidéar athuair. Is ar an dlí, idir canónda agus sibhialta, a rinne an tAthair Pacelli a staidéar iarchéine, mar ba dhual sinsear dó, agus sa bhliain 1902 bhain sé dochtúireacht amach sa dá chineál dlí.

Níorbh fhada, áfach, go raibh an monsignor Gasparri ag bualadh ar an doras le cur in iúl don sagart óg go raibh folúntas dó in oifig rúnaí stáit na Vatacáine. Ba leasc le Eugenio an post a ghlacadh ar dtús, á rá gurbh fhearr leis saol an tsagairt phobail, ach bhí fhios aige nár leis féin a shaol feasta óir bhí mionn umhlaíochta tugtha aige dá easpag, is é sin an pápa, agus é ag dul faoi ghrádh coisricthe. In oifig an rúnaí stáit dó mar sin, sa bhliain 1904, d'oibrigh sé go dlúth le Pietro Gasparri ar Chód an Dlí Chanónda, a bhí á ullmhú aigesean san am.

A shaothar idir 1904 agus 1939

Chaith an tAthair Pacelli dúthracht as cuimse lena chuid oibre in oifig an rúnaí stáit ó 1904 go 1909, an bhliain ar ceapadh ina ollamh le taidhleoireacht eaglasta é sa *Pontificia Accademia dei Nobili ecclesiastici* ('Acadamh Pointifiúil na nEaglaiseach Uasal') sa Róimh. Níorbh fhada a sheal sa phost sin, áfach, óir sa bhliain 1911 rinneadh rúnaí cúnta stáit de, agus leasrúnaí stáit an bhliain dár gcionn. Sa bhliain 1914, an bhliain ar bhris an Cogadh Mór amach, rinneadh rúnaí ar Chomhthionól na ngnóthaí eachtracha eaglasta de.

Trí bliana ina dhiaidh sin, ar 13 Bealtaine 1917, rinneadh é a choisreacan ina ardeaspag teidealach ar Sardis – an lá ceannann céanna ar tharla céad taispeánadh na Maighdine Muire i bhFátima na Portaingéile – agus san am céanna ceapadh an t-ardeaspag Pacelli ina nuinteas chun na Baváire, mar ar ghlac sé páirt ghníomhach in iarrachtaí síochána an phápa Benedict XV.

Ón Bhaváir cuireadh ar aghaidh go Beirlin é ina nuinteas chun na Gearmáine ar 22 Meitheamh 1920, áit a raibh sé, mar ba nós, ina dhéan ar an *corps* taidhleoireachta ar fad. Ceithre bliana ina dhiaidh sin, d'éirigh leis concordáid measartha fabhrach a shocrú idir an Bhaváir agus an Vatacáin, ar 29 Márta 1924.

Faraor, ní raibh an choncordáid a rinne sé idir an Phrúis agus an Chathaoir Naofa, ar 14 Meitheamh 1929, baol ar chomh fabhrach le ceann na Baváire. Is furasta sin a thuigbheáil, óir is tír chaitliceach í an Bhaváir, i bhfarradh is an Phrúis, a bhí ina tír phrotastúnach go smior.

Roimh dheireadh na bliana 1929, ar 16 Nollaig, d'ainmnigh an pápa Pius XI Eugenio Pacelli ina chairdinéal agus in earrach na bliana dár gcionn, ar 7 Feabhra 1930, cheap sé ina rúnaí stáit i gcomharbacht ar Gasparri é. Dhá bhliain i ndiaidh a cheaptha, d'éirigh leis concordáid a dhéanamh le stát Baden, ar 12 Deireadh Fómhair 1932. Rinne sé concordáid leis an Ostair ar 5 Meitheamh 1933, agus ba ghearr ina dhiaidh sin gur thug sé faoi cheann a dhéanamh leis an Ghearmáin féin.

Fágaimis an pholaitíocht inár ndiaidh seal beag go ndearcfaimid ar nithe eile a rinne an cairdinéal Pacelli. Cuireadh mar leagáid ón phápa é, mar shampla, chuig Comhdhálacha Eocairisteacha anseo is ansiúd ar fud an domhain – go Buenos Aires i mí Dheireadh Fómhair 1934, go Budapest i mí Bhealtaine 1938. Idir an dá ócáid sin, thaistil an cairdinéal Pacelli go Lourdes mar ionadaí an phápa ag ceiliúradh iubhaile i mí Aibreáin 1935, agus go Lisieux chuig tiomnú bhaisleac úr Naomh Threasa i mí Iúil 1937, tráth a raibh an naomh sin daichead bliain ar shlua na marbh.

Thug Pacelli aghaidh ar Stáit Aontaithe Mheiriceá i mí Dheireadh Fómhair 1936 ar chuairt lán-phríobháideach d'fhonn taithí phearsanta a fháil ar shaol Chaitlicigh na mór-roinne sin, go mórmhór ar an oideachas caitliceach. Rinne sé taisteal de chorradh ar deich míle míle le linn na cuairte sin, ag tabhairt cuairte ar dhá cheann déag de 16 chúige eaglasta na Stát Aontaithe, agus bhuail sé le ceithre scór easpag mheiriceánacha. Fuair sé cuireadh chun dinnéir ón Uachtarán Roosevelt.

Ó Cháisc na bliana 1933 ar aghaidh, bhí *régime* Hitler go mór i bhfách le concordáid a shíniú leis an Chathaoir Naofa. Ar 24 Márta, shocraigh an dá pháirtí 'chaitliceacha' (i. an Páirtí Láir agus Páirtí Phobail na Baváire) go vótálfadh siad ar son an achta ba ghá chun na cumhachtaí breise a bhí de dhíobháil ar Hitler a dheonú dó, agus ar 28 Márta, d'fhógair easpaig na Gearmáine go bhféadhfadh Caitlicigh comhoibriú leis an rialtas úr, cé go raibh difríochtaí dosháraithe idir an Eaglais agus na naitsithe. Aisteach go leor, cheapfá, ghéill rialtas Hitler go huile is go hiomlán d'éilimh na hEaglaise – fiú amháin don éileamh go gceadófaí scoileanna caitliceacha. B'ionann sin go léir agus go raibh sé éasca go maith an choncordáid a dhéanamh. Rud eile de, bhí pobal caitliceach na Gearmáine ag brath ar an Chathaoir Naofa le eadránú a dhéanamh ar a shon, rud nach mbeadh ar a cumas mura mbeadh conradh de chineál éigin i bhfeidhm idir an dá thaobh. Síníodh an choncordáid mar sin ar 20 Iúil 1933.

Chuidigh rud eile le Pacelli agus an dul chun cinn a rinne sé sa Ghearmáin. Ón chéad lá ar chuir sé cos thar teorainn na tíre sin, bhí gnaoi an phobail air. Chonacthas dóibh gur dhuine séimh, caoin a bhí ann, agus nuair a bhí sé ag fágáil slán ag an tír le filleadh ar an Róimh ina rúnaí stáit, chuaigh na sluaite ina chuideachta chun an stáisiúin, agus deora ina súile, le slán a chur leis. Chuir Pacelli spéis mhór sna tríochaidí i ngach gné de chultúr na Gearmáine agus b'fhollas feasta an t-ardmheas a bhí aige ar thír, ar phobal agus ar shaíocht na Gearmáine.

Corónú Pius XII, An Cogadh

Tugadh seal ní b'fhaide do na cairdinéil teacht i gceann a chéile don tionól a bhí le comharba Pius XI a thoghadh. Den chéad uair riamh, chomh maith le cairdinéil na hEorpa, tháinig cairdinéil ó Stáit Aontaithe Mheiriceá agus ó thíortha eile taobh amuigh den Eoraip chun an tionóil. Níor mhair sé ach aon lá amháin. Toghadh Eugenio Pacelli ar an tríú chrannchur le 48 vótaí as 53 ar 2 Márta 1939. Ba é an chéad uair le fada an lá gur toghadh rúnaí stáit na Vatacáine ina phápa. Ba é Clement XI (1700-1721) an fear deireanach a raibh an post sin aige sular toghadh é. Is é an t-ainm a thogh Pacelli dó féin ná 'Pius XII' – á chur in iúl, is dócha, go raibh rún aige obair Pius XI a chur i gcrích. Bhí lúcháir agus bród as cuimse ar phobal na Róimhe faoin cheapachán, óir ba é Pacelli an chéad fhear de bhunadh na cathrach sin a toghadh ina phápa ó aimsir Clement X (1670-1676).

Is furasta a aithint cad chuige arbh ar Pacelli a thit an crann an lá úd. Is amhlaidh a mheas na cairdinéil go raibh gá nár bheag le pápa úr a cheapadh a bheadh ábalta agus cliste, agus a bheadh oilte go maith i gceird na taidhleoireachta san am céanna, ó tharla cogadh a bheith ar na bacáin arís eile.

Sna chéad mhíonna dá phápacht, rinne Pius XII a mhíle dícheall stop a chur leis an chogadh sara mbeadh sé ró-dhéanach. Ar 3 Bealtaine 1939, mar shampla, rinne sé moladh poiblí go socrófaí go síochánta an t-easaontas idir an Iodáil agus an Fhrainc, agus idir an Ghearmáin agus an Pholainn, trí chomhdháil a thionól a mbeadh na ceithre stát sin, maille leis an Bhreatain Mhór, páirteach inti. Nior thug Hitler, áfach, aird ar bith ar an moladh, agus bhí rialtais na dtíortha eile den tuairim go raibh sé buille beag róluath fós dá leithéid.

I mí Lúnasa 1939, agus cuma ar an scéal go raibh an cogadh ar tí tosú, lean Pius XII air ag plé leis na stáit éagsúla, ag iarraidh an tubaiste a choinneáil ó dhoras. Ar 24 Lúnasa, chraol sé caint ar an raidió a bhí dírithe ar an domhan go léir, ina ndúirt sé, "Níl a dhath ar bith le cailleadh leis an tsíocháin, ach tá gach uile rud le cailleadh as an chogadh." D'eisigh sé a chéad imlitir *Summa Pontificatus* ar 20 Deireadh Fómhair 1939 inar iarr sé ar phobail an domhain Dia a chur ar ais ina áit chuí, agus aontú le chéile d'fhonn an dlí nádúrtha a chosaint.

Bhí dhá chruinniú ag an bpápa le Vittorio Emmanuele, III na

hIodáile, ar 21 agus arís ar 28 Nollaig 1939; agus bhí comhfhreagras idir é féin agus Mussolini, agus é mar aidhm aige sa dá chás an Iodáil a choinneáil amach as an chogadh a bhí ag bagairt. Theip, faraor, ar iarrachtaí Pius. Ina aitheasc Nollag sa bhliain chéanna, mhol an pápa 'Cúig Phointe na Síochána', mar a thug sé orthu. B'iad seo (a) ceart gach náisiúin ar an mbeatha agus ar an neamhspleáchas a aithint (b) fíor-dhí-armáil, idir ábhartha agus spioradálta (c) cúirt idirnáisiúnta a bhunú d'fhonn an tsíocháin a chosaint (d) cearta gach mionlaigh a aithint, agus (e) fíorspiorad críostaí a bheith ag gach náisiún.

Bhí cruinniú inspéise eile ag an phápa ar 10 Márta 1940, nuair a bhuail sé le hAire Gnóthaí Eachtracha Hitler, Joachim von Ribbentrop, ach ba bheag a tháinig dá bharr, ó tharla nach raibh Ribbentrop toilteanach ceist an chogaidh ná ceist na síochána a phlé beag ná mór. Bhí an cogadh faoi lán seoil agus ní chuirfí stop leis.

Trí mhí ina dhiaidh sin, in ainneoin dian-iarrachtaí Pius XII é a chosc, thug Mussolini an Iodáil isteach sa chogadh (10 Meitheamh 1940). Ón lá sin ar aghaidh bhí an pápa ar a dhícheall ag iarraidh cathair na Róimhe a shábháil dá mb'fhéidir é. Is é a theastaigh uaidh ná stádas 'chathair oscailte' a ghnóthú di, sa dóigh is nach mbeadh saighdiúirí ná aonaid *commando* ar bith lonnaithe inti. Bíodh is nár éirigh leis é sin uilig a bhaint amach, fuair sé cuid mhaith dá raibh á lorg aige, agus, ós rud é go raibh sé féin i bhfách le fanacht sa Róimh, cibé ar bith céard a tharlódh, fágadh an chathair slán, amach ó chorrbhuama.

Pius XII agus na Naitsithe

Den dá idé-eolaíocht a bhí i dtreis san Eoraip ag an am, an Naitseachas agus an Boilséiveachas, chonacthas do Pius XII gurbh é an chéad cheann acu an ceann ba lú a dhéanfadh dochar don Eaglais. Thug rúnseirbhís na naitsithe leid dá rialtas, mar sin, go mba chóir don Ghearmáin béim a leagan air seo agus í ag plé leis an phápa, ionas go mbeadh sí in ann é a mhealladh ar a taobh sa chogadh in aghaidh na Rúise. Bhí Pius XII i bhfad ró-chliste, áfach, le go meallfaí é lena leithéid de chleas suarach, bíodh is go raibh sé go fíochmhar i gcoinne an chumannachais, agus dá thairbhe seo níor thug sé tacaíocht dá laghad do Hitler ina chogaíocht leis an Rúis. Mar sin féin, go dtí an lá inniu féin, cuirtear ina leith go raibh leisce air, ar chúis amháin nó ar chúis eile, labhairt amach in éadan ainghníomhartha na naitsíoch in aghaidh na nGiúdach. 'Tost Pius XII' a thugann a naimhde air sin de ghnáth.

Sa bhliain 1963, mar shampla, cúig bliana i ndiaidh bhás an phápa, foilsíodh agus léiríodh ar an stáitse dráma dár teideal *Der Stellvertreter* ('An tIonadaí') le Ralph Hochhuth, mac le hoifigeach Gearmáineach a throid sa Chogadh. Is é an tuairim a chuir Hochhuth chun tosaigh sa dráma sin ná gur chladhaire amach is amach, agus naitsíoch faoi choim, ab ea Pius XII, agus nár spéis leis a dhath ar bith eile ach na hinfheistíochtaí a bhí aige sa Ghearmáin, má b'fhíor, a chosaint. Ní ba ghaire dár linn féin (1999) foilsíodh leabhar le Sasanach dárbh ainm John Conwell, 'Hitler's Pope', inar cuireadh síos nithe den chineál céanna mar gheall ar Pius XII. Níor smaoinigh an bheirt chliste seo, ámh, agus go leor eile nach iad a rinne cáineadh ar an phápa, gur féidir go raibh taobh eile ar an scéal, go mb'fhéidir go raibh ciall cheannaithe ag Pius XII de bharr taithí na mblianta a bhí caite aige i measc na nGearmánach, agus é ina thaidhleoir i stáit éagsúla na tíre sin, agus go bhfacthas dó nách bhfhóirfeadh sé labhairt amach go ró-thréan, ar fhaitíos an scéal a dhéanamh ní ba mheasa ná mar a bhí.

Féachaimis ar an bpictiúr a léiríonn doiciméid na Vatacáine ón ré sin, atá dá bhfoilsiú le tamall de bhlianta anuas, agus doiciméid de chuid Rúnseirbhís Stáit Aontaithe Mheiriceá faoi aimsir an Chogaidh, a bhfuil an tOllamh Richard Breitman, staraí Giúdach de chuid Ollscoil Washington, i ndiaidh staidéar a dhéanamh orthu i mbliain na Iubhaile (2000). Léiríonn siad go soiléir gurbh fhada Pius XII ó bheith ina chladhaire, ach a mhalairt ar fad, gur gaiscíoch ab ea é a shaothraigh de ló is d'oíche ag iarraidh cruachás scanrúil na nGiúdach a mhaolú. Agus, anuas air sin, ní fíor ar chor ar bith nár labhair sé amach go poiblí. Cháin sé brúidiúlacht agus gníomhartha uafáis na nGearmánach, gan an cine Giúdach a lua go sonrach, ina aitheasc Nollag ar 24 Nollaig 1942, agus in aitheasc a thug sé do Choláiste na gCairdinéal ar 2 Meitheamh 1943.

Bhí sé de pholasaí ag Pius XII gan daoine nó náisiúin a cháineadh go pearsanta, ach na bunphrionsabail a bhíothas á sárú a mheabhrú do na daoine nó do na náisiúin sin arís is arís eile, agus na hearráidí, mar ba léir dósan iad, a lochtú. Ba é a mhaíodh lucht a cháinte i dtólamh ná go raibh an polasaí seo i bhfad Éireann ró-éadrom agus ró-bhog, ach thugadh an pápa mar fhreagra orthu nach ag iarraidh daoine a lochtú a bhí sé ach iad a mhealladh ar ais chun na fírinne agus chun an tslánaithe. An t-eolas úd faoi obair ghaisciúil an phápa ar son na nGiúdach, bhí sé ar eolas go maith ag Caitlicigh, ar ndóigh, i bhfad sular tháinig Breitman ar an bhfód, mar a léireoidh an dá chuntas seo a leanas.

Go luath i mí Lúnasa na bliana 1942, bhí an pápa ar tí agóid ghéar a dhéanamh faoin íospairt a bhí á déanamh ag na naitsithe ar na Giúdaigh. Bhí téacs na hagóide ina láimh aige agus é ar a bhealach leis chuig oifig an *Osservatore Romano,* d'fhonn go bhfoilseofaí ar eagrán na maidine dár gcionn é. Tharla ag an nóiméad deireanach gur tugadh scéala chuige faoinar tharla de thoradh casaoide a rinne easpaig na hÍsiltíre mar gheall ar dhrochíde a bhí á tabhairt ag na naitsithe do Ghiúdaigh na tíre sin. Ní amháin gur tugadh an chluas bhodhar do na heaspaig, ach rinneadh i bhfad níos mó ionsaithe ar na Giúdaigh bhochta. Ar chloisteáil an scéala sin dó, is é rud a rinne an pápa ná na leathanaigh a bhí ina láimh a stróiceadh ina míle píosaí, agus iad a thabhairt uaidh le dó i dtine na cistineach. Ar seisean leo siúd a bhí i láthair "Má bhí casaoid easpaig na hÍsiltíre ina cúis le bás 40,000 daoine, nach é an toradh a bheadh ar m'agóidse ná go gcuirfí ar a laghad 200,000 chun báis? Ní fhéadfainn freagracht mar sin a thógaint orm féin – ba róthrom mar ualach í". Cé acu cladhaireacht nó stuaim a léirigh Pius XII ansin?

Ar 16 Deireadh Fómhair 1943, agus na Gearmánaigh tar éis seilbh a ghlacadh ar an Róimh, rinne siad cuid mhaith de Ghiúdaigh na cathrach a bhailiú le chéile, in ainneoin gur gealladh do Pius XII nach mbainfí díobh. Ar a chluinstin seo don phápa, chuir sé fios ar a rúnaí stáit, an cairdinéal Maglione. Chuir seisean fios ar a sheal ar Weizsacker, ambasadóir an Treas Reich chun na Vatacáine. Rinne an cairdinéal gearán leis, thar ceann an phápa agus in ainm na daonnachta, faoin drochíde a bhí á tabhairt do oiread sin daoine mar gheall ar an chine ar díobh iad – agus é seo ag tarlú, d'fhéadfaí a rá, os comhair dhá shúl an phápa. D'impigh Weizsacker ar Maglione gan scéal mór a dhéanamh as, óir dá bhfaigheadh údaráis na Gearmáine tuairisc faoi gur measa i bhfad a bheadh an scéal. Ba ghlic, slítheánta an fear é Weizsacker, áfach, agus ina thuairiscí ar ais chuig rialtas Bheirlin, ní raibh focal beag ná mór aige faoi chasaoid an phápa. Ar an ábhar seo chreid staraithe saonta áirithe, agus creideann go fóill, tar éis dóibh doiciméid Gearmáineacha na tréimhse sin a léamh, nár dhúirt Pius XII focal cáinte ar bith leis na Gearmánaigh agus nár labhair sé amach ar son Giúdaigh na Róimhe.

Os a choinne seo uile, áfach, bhí tacaíocht ag Pius XII ó dhaoine nach mbeifeá ag súil lena leithéid uathu, mar shampla Albert Einstein, an scoláire mór le rá Giúdach a bhíodh go dubh in éadan na hEaglaise tráth, ach a d'admhaigh in alt a scríobh sé don iris Phoncánach *Time* sa bhliain 1940, gur sheas an Eaglais go diongbháilte in éadan an fheachtais a bhí ar siúl ag Hitler chun an fhírinne a cheilt. "Má ba bheag mo spéis san Eaglais roimhe seo," a scríobh sé, "níl agam anois uirthi ach cion agus ardmheas, óir is aici amháin a raibh sé de bhuan-chrógacht seasamh a ghlacadh ar son fírinne intleachta agus saoirse morálta. Ní mór dom a admháil, an institiúid nach raibh ach an dearg-ghráin agam uirthi tráth, go bhfuil ardmheas agam uirthi anois."

Giúdach eile a mbeifeá ag súil le cáineadh uaidh ar Pius XII ab ea Émile Pinchas Lapide, consal Iosraeil chun na hIodáile, fear ar ghnách leis an phápacht agus ar bhain léi a dhíspeagadh, ach a thug moladh as cuimse don phápa, don Vatacáin agus dá chuid nuinteas, á rá go ndearna siad idir 700,000 agus 850,000 Giúdaigh a tharrtháil ón mbás ag lámha na naitsithe.

Carthanacht Pius XII

Má chaith Pius XII a dhúthracht roimh an chogadh ag iarraidh síocháin a chothú idir na tíortha a bhí ina ruaig reatha chun cogaíochta, ní túisce a bhí an cogadh ar siúl ná gur chaith sé é féin isteach go díograiseach in iarrachtaí chun cabhair a chur ar fáil dóibh sin a bhí ag fulaingt de dheasca na coimhlinte, agus dála Benedict XV, ba chuma leis cén taobh ar a raibh siad. I dtús an chogaidh, bhunaigh sé *Pontificia Commissione Assistenza* ('An Coimisiún Pointifiúil um Chabhair') (PCA) a thug cúnamh praiticiúil don iliomad daoine a raibh an saol ag teannadh orthu de thairbhe an chogaidh. Príosúnaigh chogaidh, dídeanaithe agus díthreabhaigh ba mhó a thángthas i gcabhair orthu, ach níor ceileadh cúnamh airgid san am céanna ar dhaoine a díbríodh ná orthu siúd ar a raibh ocras. Chomh maith leis sin, caitheadh an-chuid airgid ar fhoirgnimh poiblí, tithe pobail, leabharlanna, dánlanna agus araile a choinneáil slán. Tabharfaidh cúpla figiúr léargas níos fearr don léitheoir ar obair an PCA. Chuireadh cistíní na heagraíochta breis agus 3,600,000 babhla anraith ar fáil gach mí do dhaoine ocracha, agus chabhraigh an PCA le breis agus 52,000 daoine a bhí ina ndídeanaithe sa Róimh filleadh ar a mbaile dúchais.

Tar éis do fhórsaí na Gearmáine seilbh a ghabháil ar an Róimh, ar 10 Meitheamh 1943, d'ordaigh an pápa go gcuirfí rialacha an chlabhstra ar ceal go sealadach i mbreis agus 150 clochar agus mainistreacha ionas go bhféadfaí dídean a thabhairt iontu do bhreis agus 4,400 Giúdach, agus tugadh dídean chomh maith do Ghiúdaigh sa Vatacáin, sa Lataráin agus i gCastel Gandolfo, teach samhraidh an phápa. Chomhoibrigh Cumann Naomh Raphael de chuid an phápa le Cumann Delasem na nGiúdach chun Giúdaigh a chur thar sáile faoi choim, i ngan fhios d'údaráis Ghearmánacha na Róimhe. Chaith Pius XII thart ar cheithre mhilliún dollar ar chabhair airgid do Ghiúdaigh i rith an chogaidh.

Cruthaíonn na fíricí agus na figiúirí sin thuas go bhfuil dul amú ar fad orthu siúd a chuireann i leith Pius XII go raibh sé fuarchúiseach faoi chás na nGiúdach, nó faoin ghéarleanúint a bhí á déanamh ag fórsaí na Gearmáine orthu.

Múinteoir agus treoraí spioradálta

D'ainneoin go raibh Pius XII an-ghafa leis na fadhbanna éagsúla a bhain leis an chogadh, ní dhearna sé faillí i rith an ama i gcúrsaí teagaisc agus foirceadail. I lár an chogaidh, ar 29 Meitheamh 1943, d'eisigh sé an imlitir *Mystici Corporis Christi,* ina bhfuil cur síos ar aontacht na hEaglaise i gCorp Mistiúil Chríost. Cháin sé inti an 'dúnmharú dlíthiúil' a bhí á imirt ag na naitsithe orthu siúd a bhí míchumtha, lagintinneach nó doleigheasta. Ag eascar as teagasc na himlitreach sin d'eisigh an pápa dhá imlitir eile a bhí dírithe ar aontacht a chothú idir an Eaglais Chaitliceach (na heaglaisí oirthearacha a bhí i gcomaoin leis an Róimh – *Uniate* – san áireamh) agus Eaglaisí Ceartchreidmheacha an Oirthir. B'iad seo *Orientalis Ecclesiae Deus* (9 Aibreán 1944) agus *Orientales Omnes Ecclesia (*23 Nollaig 1944).

Tháinig imlitir thábhachtach, *Divino Afflante Spiritus,* a raibh tionchar mór le bheith aici i gcás an Scrioptúir, ó lámh an phápa ar 30 Meán Fómhair 1943. Fógraíodh inti go raibh sé ceadmhach do scoláirí caitliceacha bíobalta feidhm a bhaint as modhanna úra scolártha, foirmeacha liteartha an Scrioptúir, nó critic eagarthóireachta mar shampla, agus iad i mbun saothair ar théacsanna na Scríbhinne Diaga, ar choinníoll go gcloífeadh siad le ciall bhunaidh na dtéacsanna a oiread agus a b'fhéidir. Thug an imlitir seo údarás d'eolaithe caitliceacha bheith ní ba liobrálaí le linn dóibh bheith ag obair ar Bhriathar Dé. Bliain ina dhiaidh sin, d'ordaigh Pius XII go ndéanfaí aistriúchán úrnua ar na sailm le húsáid san Oifig Dhiaga.

Le linn an chogaidh agus ina dhiaidh, bhí ag méadú ar an éileamh go gceadófaí an teanga dhúchasach a úsáid sa liotúirge in ionad na Laidine. Cé nár thug Pius XII féin an cead sin, d'eisigh sé imlitir *Mediator Dei,* (20 Samhain 1947), inar thug sé le fios go raibh glacadh áirithe aige leis an éileamh. Thug sé tacaíocht freisin san imlitir – má ba go coiníollach féin sin – don Ghluaiseacht Liotúirgeach. Is é a bhí an pápa ag iarraidh a chothú san imlitir seo ná 'páirtíocht intleachtúil an phobail san Aifreann'. Roinnt blianta ina dhiaidh sin, chuir sé imlitir eile amach (*Musica Sacra,* 25 Nollaig 1955), ina ndearna sé achoimriú ar na normanna éagsúla a bhain le rannpháirtíocht na dtuataí sa liotúirge, agus léirigh sé go raibh sé solúbtha go maith i gcás an cheoil eaglasta.

De bharr an chogaidh b'éigean dó ó am go chéile athruithe a thabhairt isteach go sealadach i ndisciplín na hEaglaise - i dtaca le ham léite an Aifrinn, mar shampla, nó i dtaca leis an troscadh Eocairisteach. Chuir Pius XII roimhe caighdeánú a dhéanamh ar na hathruithe sin go léir. Sa bhliain 1951, chuir sé ar ais seirbhís Bigil na Cásca oíche Shatharn na Seachtaine Móire, agus sna na blianta ina dhiaidh sin rinne sé liotúirge na seachtaine sin a leasú go hiomlán. Sa bhunreacht aspalda *Christus Dominus* (16 Eanáir 1953) rinne an pápa caighdeánú ar na hathruithe nár mhór a thabhairt isteach sa troscadh eocairisteach, agus i litir phearsanta a d'fhoilsigh sé ar 19 Márta 1957, rinne sé laghdú eile ar an troscadh, a raibh de thoradh air an bealach a réiteach le haghaidh Aifrinn tráthnóna.

Mar fhocal scoir ar shaothar leasaithe Pius XII maidir le disciplín na hEaglaise, níor mhiste a lua gur fhoilsigh sé dhá dhoiciméad a bhain leis an sagartacht. Sa bhunreacht aspalda *Sacramentum ordinis* (30 Samhain 1947), thagair sé do cheist achrannach go maith, is é sin bailíocht oirniú deochain, sagart nó easpag a raibh an t-ábhar cuí agus an fhoirm chuí easnamhach iontu, agus i *Menti nostri* chuir sé in iúl gur chóir do shagairt bheith oilte go maith ní amháin sa diagacht ach in ábhair shaolta chomh maith.

Ní raibh Pius XII éagsúil le pápaí a tháinig i réim roimhe nó ina dhiaidh sa mhéid is go raibh grá as cuimse aige do Mhuire, Naomh-Mháthair Dé. San imlitir cháiliúil *Munificentissimus Deus* a foilsíodh ar Lá Samhna 1950, rinne sé dogma Dheastógáil na Maighdine a dheifniú, gan dul isteach go mion, ámh, i gceist a báis ná a dhath den chineál. Ba é sin an chéad uair ag pápa a dho-earráideacht a fhógairt, sa mhéid is gurbh eisean amháin – agus ní eisean i gcomhar leis na heaspaig – a chuir an teagasc sin chun cinn. Ar ndóigh ní ar na Scrioptúir ach ar thraidisiún na hEaglaise atá an teagasc seo bunaithe. Roimhe sin, áfach, agus an cogadh faoi lán seoil ar fud an domhain, rinne an pápa an cine daonna ar fad a thiomnú do Chroí gan Smál Mhuire, Banríon na Cruinne, ar 8 Nollaig 1942, agus d'ordaigh sé go gceiliúrfaí an fhéile sin ar fud na hEaglaise ar 22 Lúnasa as sin amach.

Riamh ó na meánaoiseanna ar aghaidh, bhí daoine go mór i bhfách le go bhfógródh an Eaglais go hoifigiúil Muire bheith ina Comhshlánaitheoir in éineacht lena Mac, Íosa, agus gur tríthi a dháiltear gach grásta – nó, mar a deirtear, gurb ise *mediatrix* an uile ghrásta. In imlitir a d'eisigh Pius XII ar 11 Deireadh Fómhair 1954, dár teideal *Ad coeli Reginam,* leag sé béim ar leith ar shár-dhínit na Maighdine Muire, gan cinneadh ar bith a dhéanamh faoi cé acu ar Chomhshlánaitheoir nó *mediatrix* na n-uile ghrást í. Fágadh an cheist sin go dtí lá níos faide ar aghaidh, agus go deimhin is minic a bhítear á plé – go teasaí, uaireanta – ar na saolta seo.

Chomh maith le disciplín na hEaglaise agus Muire Máthair Dé, ní dhearna Pius XII leithcheal dá laghad ar cheisteanna morálta. Ar 29 Meán Fómhair 1949, mar shampla, cháin sé an t-inseamhnú tacair, agus in aitheasc a thug sé do mhná glúine san Iodáil ar 29 Deireadh Fómhair 1951, threisigh sé go láidir le teagasc Pius XI faoin phósadh caitliceach.

Dhírigh an pápa ar cheist a bhí ina crá croí ag Pius X roimhe – claonta nua-aimseartha sa diagacht chaitliceach – ina imlitir chlúiteach *Humani generis,* a tháinig óna pheann ar 12 Lúnasa 1950. D'fhógair sé go gcruthaíonn Dia an t-anam ag an nóiméad ceanann céanna is a chruthaítear beatha dhaonna sa bhroinn. Cháin sé coincheap an ilghiniúna (is é sin gur shíolraigh an cine daonna ó il-lánúineacha), ar an ábhar go raibh an teoiric sin glan i gcoinne theagasc na Scrioptúr faoi pheaca an tsinsir. Sa chomhthéacs céanna chuir Pius XII ar a súile do Chaitlicigh, in aitheasc a thug sé ar 30 Samhain 1941, agus gan an cogadh i bhfad ar siúl, an duine a bheith i bhfad os cionn gach créatúr eile sa chruthaíocht de bharr go bhfuil anam spioradálta aige. Ag tarraingt ar dheireadh an chogaidh bhí na naitsithe ag cur teoiric chun tosaigh a raibh an pápa go mór ina coinne, is é sin coincheap na comhchiontachta. B'é a bhí gceist leis ná an tuairim nach é an duine aonair a bhíonn freagrach as gníomh áirithe ar bith ach an cine daonna ar ball de é. Cháin Pius XII an coincheap seo i ndoiciméad a foilsíodh ar 30 Samhain 1947.

I gcaitheamh ré Pius XII, bhí forbairt mhór ag teacht ar na nua-mheáin chumarsáide, an raidió, na scannáin agus an teilifís, agus in imlitir a d'eisigh sé ar 8 Meán Fómhair 1957 (tuairim is bliain roimh a bhás) nocht sé a chuid tuairimí faoin fhorbairt sin. Thug sé rabhadh a thábhachtaí a bhí sé dearcadh Críostaí bheith le sonrú go soiléir sna meáin úra cumarsáide seo.

Cé go raibh Pius XII go mór in éadan an chumanachais, mar a chonaic muid thuas, rinne sé idirdhealú cúramach idir an idé-eolaíocht féin agus na pobail a raibh sí in uachtar ina measc. Sa litir aspalda *Carissimis Russiae populis,* a eisíodh ar 7 Iúil 1952, mar shampla, rinne sé idirdhealú idir an cumannachas mar ghluaiseacht agus pobail na Rúise a raibh orthu maireachtáil faoin *régime* aindiaga sin. Is dócha gur scríobhadh an litir seo ar eagla na míthuisceana, óir bhí an pápa den tuairim nár leagadh béim sách láidir ar an idirdhealú sin san bhforógra a eisíodh i mí Iúil 1949.

Ba é an gníomh ba shuntasaí dá ndearna Pius XII i gcás riaradh na hEaglaise lena linn ná Coláiste na gCairdinéal a dhéanamh níos idirnáisiúnta. Go dtí a ré féin ba Iodálaigh iad na cairdinéil go léir. Sa dá thionól a d'eagraigh seisean le linn a phápachta, áfach, ar 18 Feabhra 1946 agus ar 12 Eanáir 1953, d'ainmnigh sé seisear is leathchéad easpag ina gcairdinéil, agus ba as tíortha eile seachas an Iodáil cuid mhaith díobh. I dtaca le 'polaitíocht' na hEaglaise, d'éirigh leis an phápa concordáid a dhéanamh le Salazar na Portaingéile ar 18 Iúil 1950 agus ceann eile le Franco na Spáinne ar 27 Lúnasa 1953.

An dara ní ba shuntasaí faoin phápa seo ná gur leag sé béim faoi leith – dála a réamhtheachtaí – ar thábhacht na misean san Eaglais. Mhol sé d'easpaig cead a thabhairt dá sagairt tréimhse a chaitheamh ag saothrú ar na misin, agus ligint do thuataí dul ag obair sna tíortha miseaneacha chomh maith.

Ba é an tríú ní ar chóir aird faoi leith a tharraingt air ná an bhéim nua a leag Pius XII ar ról na dtuataí san Eaglais. "Is sibhse an Eaglais," adúirt sé ar ócáid amháin. D'eagraigh sé dhá chomhthionól do na tuataí le linn dó bheith i gCathaoir Pheadair. Anuas air sin, bhunaigh sé 'institiúidí tuata' a chuir ar chumas tuataí móideanna a thabhairt agus a saol a chaitheamh mar ba bhaill d'ord crábhaidh iad, ach bheith in inmhe, ag an am céanna, dul amach chuig a ngnáthionaid oibre.

Mar fhocal scoir i dtaca le reachtaíocht Pius XII, is fiú a lua go raibh 1,696 dheoise caitliceacha ann ar fud an domhain ar theacht i gcoróin dó sa bhliain 1939, agus méadaíodh an líon sin go 2,048 faoin am a bhfuair sé bás sa bhliain 1958. Bunaíodh cliarlathas sa tSín i 1946, i mBurma sa bhliain 1955, agus i dtíortha éagsúla san Afraic de réir mar a bhain siad a saoirse amach ó na tíortha cóilíneacha. Ní beag sin mar thoradh ar shaothar an phápa chumasaigh seo. Rinne sé freisin triúr is fiche a chanónú ina naoimh - an pápa Pius X (1954) agus Maria Goretti (1951) ina measc.

Críoch

Ar a ainmniú ina chairdinéal d'Eugenio Pacelli, ba í an eaglais sa Róimh a tugadh dó mar eaglais theidealach ná Eaglais Naomh Eoin agus Naomh Pól ar chnoc Coelian. B'ádhúil mar a tharla, óir ba shagairt d'Ord na Páise a bhí i mbun na hEaglaise sin, agus ba é an fear a chuir an t-ord sin ar bun, Naomh Pól na Croise, ab údar don urnaí cháiliúil iarchomaoineach *Anima Christi* arbh í an urnaí ab fhearr le Pius XII i rith a shaoil í.

Ar nóta pearsanta, más ceadmhach, ba é an pápa seo a bhí i gcoróin agus údar an leabhair seo ag éirí aníos, agus is maith is cuimhin leis an chuma ard, tanaí, uasal a bhí ar Pius XII, agus a phictiúr le feiceáil sna nuachtáin agus sna hirisí ó am go ham. Is mór a chuaigh Pius XII i gcion ar dhaoine a raibh sé de phribhléid acu bualadh leis, nó é a fheiceáil féin. Bhí cúpla múinteoir ón mbunscoil a raibh an t-údar ag freastal uirthi ar oilithreacht sa Róimh i samhradh na Bliana Naofa 1950 agus dúirt siad linne, páistí na scoile, go mba chaoin cineálta an duine é an pápa. Ba é an chéad phápa riamh é, is dócha, a raibh faill ag lear mór daoine aithne a chur air, óir ba é an chéad phápa é a raibh caoi aige bheith ar na nua-mheáin chumarsáide, an raidió agus an teilifís; agus anuas air sin, chonaic na mílte duine sa Róimh é, ní amháin le linn Bhliain Naofa 1950 ach le linn Bhliain Mhuire 1954 fosta. Chonacthas don údar gurbh fhollas ar a ghnúis, sna pictiúir a chonaic sé de, an brón is an crá croí a d'fhág an cogadh, agus a ndeachaigh sé tríd lena linn, ar an fhear leochaileach seo.

Buaileadh tinn é i gCastel Gandolfo ar 3 Deireadh Fómhair 1958. Ní raibh a chiall is a chéadfaí aige ar 8 Deireadh Fómhair, ach an mhaidin dár gcionn d'oscail sé a shúile, rinne miongháire chaomh lena raibh cois na leapa, agus shíothlaigh sé go suaimhneach. Is aisteach mar chomhtharlú é gur tháinig sé ar an saol Déardaoin, gur ainmníodh ina phápa Déardaoin é agus gur ar an Déardaoin a d'éag sé.

Agus Pius XII ina nuinteas i Munchen na Baváire in aois a 42 bhliain, tháinig bean rialta óg chuige mar bhean tí, an tSiúr Pasqualina Lenhart. Bhí sé i ndán don bhean rialta seo fanacht sa phost sin nó gur éag sé. Rinne sí freastal iontach air, ach bhíodh sí ar a dícheall ag coinneáil daoine amach uaidh. Ní raibh cead ag a mhuintir féin cuairt a thabhairt air, ach amháin ar an Domhnach – taobh amuigh dá nianna. Ní raibh bunadh an *Curia* róthugtha di ná do na nianna, óir ba dhuine í an tSiúr Pasqualina a bhí leithleach agus fiú gairgeach in amanna, dála go leor mná tí a bhíonn ag sagairt, gan trácht ar a bheith ró-chosantach go hiondúil. Nuair a fuair Pius XII bás, cuireadh an ruaig ar na nianna agus tugadh fógra 24 uair an chloig don tSiúr Pasqualina bhocht imeacht léi. Bhí an tseanré thart. Rud beag inspéise eile, baineadh feidhm as modh úr balsamaithe i gcás chorp Pius XII, ach chuaigh sé ó mhaith ar fad, ionas gur fágadh dath glas ar a chraiceann lena linn.

EOIN XXIII 1958 – 1963

Óige agus oiliúint

An fear a mbeidh trácht air sa chaibidil seo, ba é an pápa ba mhó é, is dócha, a raibh gnaoi an phobail air sa chéad seo caite, siúd is nár mhair a réimeas ach cúig bliana ar éigean.

Rugadh Angelo Giuseppe Roncalli i Sotto il Monte, 12 chiliméadar ó Bergamo, i bhfíorthuaisceart na hIodáile, faoi scáth na nAlpa, ar 25 Samhain 1881. Tuathánaigh ab ea a mhuintir, a shaothraíodh an talamh agus a thugadh leath dá thoradh mar chíos do na tiarnaí talún ar leo an fheirm – cuntaí Morlani as Bergamo – agus a bheathaíodh a dteaghlaigh leis an leath eile, rud a chiallaigh go raibh siad beo bocht. Teach mór, fairsing, lom a bhí acu ar an fheirm, ina mbíodh an t-eallach taobh istigh mar aon leo féin istoíche, díreach mar ba nós lenár sinsir féin in Éirinn fadó.

Ba é Angelino (mar ba ghnách leis an teaghlach a thabhairt air) an tríú páiste as triúr déag, agus b'eisean an chéad mhac a rugadh dá thuismitheoirí, Giovanni Battista Roncalli agus Marianna Mazzola ar de bhunadh Sotto il Monte iad araon.

De réir ghnás an chuid sin den Iodáil, baisteadh Angelo ar an lá céanna ar tháinig sé ar an saol. Ba é Zaverio, deartháir a athar agus ceann an teaghlaigh, nár phós riamh, a athair baistí. Fear cráifeach a bhí ann mar Zaverio, a bhí sáite sa Saothar Caitliceach i gceantar Bergamo agus a mbeadh tionchar mór aige ar Angelino agus é ag fás aníos.

Nuair a bhí an gasúr cúig bliana d'aois, cuireadh go bunscoil an pharóiste é, agus sa bhliain 1888, nuair a osclaíodh bunscoil úr stáit ar an sráidbhaile, cuireadh chun na scoile sin é. Chuaigh sé faoi lámh easpaig ar 13 Feabhra 1889 agus é ocht mbliana d'aois; agus ar 3 Márta sa bhliain chéanna sin, rinne sé a Chéad Chomaoineach – rud a bhí neamhchoitianta ag an am, óir ní go dtí aimsir Pius X a bheadh cead ginearálta ag páiste chomh hóg sin Comaoineach a ghlacadh.

Deir Angelo Roncalli féin linn ina dhialann nár chuimhin leis am ar bith ina óige nach raibh fonn air bheith ina shagart, agus ar an ábhar sin ní h-aon ionadh gur cuireadh é chuig sagart paróiste Carvico, an sráidbhaile ba ghaire dóibh, chun Laidin a fhoghlaim. Ní raibh rath ar an obair, áfach, óir bhí an sagart cruálach, mífhoighneach agus ba bheag a d'fhoghlaim an scoláire óg uaidh.

Ní raibh mórán ratha ach oiread ar an dara céim dár thug sé. Bhí coláiste i Celano, a bhunaigh Naomh Carlo Borromeo mar chliarscoil réamh-shóiseareach, agus ba chun na háite sin a seoladh Angelo. Bhí sé ina scoláire lae ansin agus é ar lóistín le gaolta a raibh cónaí orthu sé chiliméadar ó Celano. Bhíodh na gaolta úd ag síor-argóint, áfach, agus idir sin agus an siúl fada chun na scoile agus ar ais gach lá, ní raibh Angelo bocht róshásta lena dhóigh agus ba ghearr gur imigh sé abhaile.

Bhí sagart paróiste Sotto il Monte, an tAthair Francesco Rebuzzini, ag tosú ag cur suime sa ghasúr éirimiúil, leochaileach seo, agus ghlac seisean de láimh é a ullmhú ina am saor i rith shamhradh na bliana 1892 d'fhonn go nglacfaí isteach i gcliarscoil Bergamo é. I mí na Samhna 1893, mar sin, shroich Angelo Roncalli Bergamo in aois a 12 bhliain. Ba é Naomh Carlo Borromeo a bhunaigh an chliarscoil seo freisin, cliarscoil inar dhual do Roncalli óg ocht mbliana a chaitheamh agus inar thosaigh sé ar dhialann a scríobh bunús gach lá. Ba le linn a bhlianta i mBergamo a fuair a chara agus a chomhairleoir, Dom Francesco Rebuzzini, sagart paróiste Sotto il Monte, bás agus é ag déanamh réidh don Aifreann maidin amháin. D'éirigh go sármhaith le Angelo i mBergamo óir ba dhúthrachtach, dáiríre an mac léinn é, a ligeadh thairis ní ar bith nár bhain lena staidéar ná lena shaol spioradálta, agus a bhí stuama, siosmaideach ar an uile dhóigh.

Sa bhliain 1901, bhain sé féin agus beirt eile as Bergamo scoláireacht an duine, a thabharfadh a fhad leis an Choláiste Rómhánach iad. Bhí an coláiste seo suite i bPiazza Sant'Apollinare, agus bhain siad an Róimh amach le bodhránacht an lae ar 4 Eanáir 1901, tar éis turas traenach a dhéanamh trí dhorchadas na h-oíche. Le linn d'Angelo bheith ag freastal ar an Choláiste Rómhánach, d'éag an pápa Leo XIII, agus toghadh Pius X i gcomharbacht air. Chuir an stócach óg spéis nár bheag sna h-imeachtaí stairiúla agus sna searmanais áille uilig a cuireadh ar siúl in ardchathair na Críostaíochta lena linn seo.

Rud eile a tharla dó agus é ag freastal ar an choláiste sa Róimh, chuir sé aithne ar eaglaiseach a raibh sé i ndán dó cor a chur ina shaol ar ball, is é sin an tAthair Giacomo Radini-Tedeschi, fear a bhí ina shéiplíneach ag *Opera dei Congressi* (eagraíocht a stiúradh an Saothar Sóisialta Caitliceach), eagraíocht, dála an scéil, a chuir Pius X ar ceal níos déanaí as siocair gur mheas sé blas an nua-aimsearachais bheith uirthi.

Ar 30 Sambain 1901, fuair Roncalli óg ordú filleadh ar Bergamo lena sheirbhís mhíleata a dhéanamh. Chaith sé bliain mhíthaitneamhach ins an 73ú cathlán de Reisimint na gCoisithe. 'Fíor-phurgadóir' a thug sé ar an seal a chaith sé san arm, agus chuir iompar agus comhrá a chomh-choinscríofaigh óga idir alltacht agus déistin air. Tháinig sé slán as an arm, áfach, gur fhill go lúcháireach ar a chuid leabhar i bPiazza Sant'Apollinare i mí na Nollag 1902. Ní raibh sé réidh leis an arm go fóill, áfach, mar a fheicfimid ar ball.

Rinneadh sagart d'Angelo Roncalli in Eaglais Santa Maria Monte Santo, i bPiazza del Populo, sa Róimh, ar 10 Lúnasa 1904. Léigh sé a chéad Aifreann an lá dár gcionn i lusca Bhaisleac Naomh Peadar, agus d'fhill sé ansin ar Sotto il Monte, mar ar léigh sé Aifreann dá ghaolta agus dá chomharsana ar Lá Fhéile Muire san Fhómhar. Ní raibh sé de ghustal ag a thuismitheoirí, faraor, bheith i láthair sa Róimh ar lá a oirnithe.

Fuair easpag Bergamo, Camillo Guindani, bás i mí Dheireadh Fómhair 1904, agus ba é cara Angelo, Giacomo Radini-Tedeschi, a roghnaigh Pius X mar chomharba air. D'iarr sé siúd ar an athair Roncalli filleadh ar Bergamo ina chuideachta agus feidhmiú mar rúnaí aige.

Rúnaí, léachtóir agus saighdiúir

Bhí an tAthair Roncalli ina rúnaí ag an Easpag Radini-Tedeschi ó 1905 go 1914 agus sa tréimhse ama sin tháinig méadú as cuimse ar an chion a bhí aige ar an easpag éirimiúil, ildánach sin, a dtugadh Angelo *il mio vescovo* ('m'easpagsa') i dtólamh air. Dhá bhliain i ndiaidh bhás an easpaig, scríobh Roncalli scéal a bheatha, a foilsíodh i 1916 (*In memoria di Monsignore Giacomo Radini-Tedeschi, vescovo di Bergamo*).

Taobh amuigh d'obair rúnaíochta, bhí an sagart óg gnóthach ón tús ar fhiche dóigh eile. I mí na Samhna 1906, mar shampla, thosaigh sé ag léachtóireacht i gcliarscoil Bergamo, ar an stair eaglasta i dtús báire agus ar ball ar ndíonchruthúnas an chreidimh agus sa phatreolaíocht. Murar leor sin, thosaigh sé ag scríobh corr-alt, le lánchead a easpaig ar ndóigh, don nuachtán áitiúil *L'Eco di Bergamo*. Le linn na tréimhse seo a chaith sé mar rúnaí easpaig, chuir sé aithne ar an chairdinéal Andrea Carlo Ferrari, ardeaspag Milano, fear eile a raibh sé daite dó tionchar mór a bheith aige ar a shaol. D'ainneoin an cairdinéal bheith 31 bliain ní ba shine ná é, mhair an dlúthchairdeas eatarthu go dtí an bhliain 1931, an bhliain ar sciob an bás Ferrari ar shiúl.

Ba go luath sa bhliain sin 1906, áfach, a tharla an ní is spéisiúla dúinn go dtí seo i saol an Athar Roncalli, sa mhéid is gur shocraigh sé treo a shaoil as sin amach. Ar 23 Feabhra 1906, agus na heaspaig ag dáil chomhairle i Milano, bhí cead a gcos ag a rúnaithe. Tharla Angelo bheith ag póirseáil thart i leabharlann an ardeaspaig nuair a tháinig sé ar sheoid – 39 imleabhar páir agus na focail *Archivio Spirituale – Bergamo* greanta orthu. Is é rud a bhí iontu ná miontuairisc ar staid Dheoise Bergamo paróiste ar pharóiste, sa tréimhse tar éis Chomhairle Thrionta, agus an Leasú Caitliceach faoi lán seoil. Ba léir don sagart óg láithreach bonn gurbh é an naomh ab ansa leis, Carlo Borromeo, ab údar don saothar sárluachmhar seo. As sin amach, bhí Roncalli le roinnt mhaith dá chuid ama agus dá dhúthracht a chaitheamh ag cur eagar ar shaothar seo Borromeo. I dtús báire chuir an t-easpag Radini-Tedeschi coiste ar bun le dul i mbun obair na heagarthóireachta, ach diaidh ar ndiaidh fágadh tromlach na hoibre faoina rúnaí. Foilsíodh an *magnum opus* seo aige i gcúig imleabhar idir sin agus deireadh a shaoil, sna blianta 1936, 1937, 1938, 1946 agus 1958.

Agus é ag déanamh taighde ar Borromeo i leabharlann an *Ambrosiano,* Milano, lá áirithe, bhuail sé le stiúrthóir na leabharlainne, Achille Ratti, a mbeadh baint aige leis lá ní b'fhaide anonn mar Pius XI. De thoradh a chuid oibre ar lámhscríbhinní Borromeo, chuir Roncalli eolas ar stair dheoise Bergamo, agus ar an naomh mar an gcéanna, rud a spreag é le leabhráin a chur amach ar an dá ábhar sin.

Idir 1912 agus 1914 fuair triúr fear bás a chuir a shaol síos suas ar Roncalli. I mí Bhealtaine 1912, d'éag a uncail Zaverio, ceann an teaghlaigh – an chéad bhriseadh sa teaghlach. Dhá bhliain ina dhiaidh sin, ar 20 Lúnasa 1914, díreach agus an Bhruiséal ar tí titim roimh ionradh na Gearmáine, fuair an pápa Pius X bás, agus tar éis cúpla la eile bhí an t-easpag Radini-Tedeschi ar shlí na fírinne chomh maith. Bhí bás na beirte eaglaiseach sin le cor a chur i saol Angelo Roncalli. Ní bheadh iarraidh air feasta mar rúnaí, óir is beag easpag a roghnaíonn rúnaí a réamhtheachtaí, agus dá bhrí sin níor mhór dó luí isteach ar a léachtaí sa chliarscoil agus leanúint dá altanna do *L'Eco di Bergamo.* Thosaigh sé fosta ar chúrsa eile léachtaí a thabhairt i dteach oideachais do dhaoine fásta i mBergamo dárbh ainm *Casa del Popolo* ('Teach an Phobail').

Cuireadh cor ní ba thromchúisí fós ná cailleadh phost na rúnaíochta ina shaol, áfach go luath. Cé gur thosaigh an Cogadh Mór ar Lá Lúnasa 1914, ní dheachaigh an Iodáil isteach ann go dtí mí Bhealtaine na bliana dár gcionn. Glaodh an tAthair Roncalli chun seirbhíse míleata ar an 19ú lá den mhí sin, cúig lá sular fhógair an Iodáil cogadh ar an Ostair/Ungáir. Cuireadh ag obair ar dtús é mar ghiolla ospidéil in ospidéal míleata i mBergamo, agus céim sháirsint aige. Níorbh fhada go raibh sé thar a bheith gnóthach agus saighdiúirí gonta á dtabhairt isteach ina gcéadta ó pháirc an áir. Sar i bhfad, ámh, tugadh ardú céime dó, agus as sin amach bhí sé ina shéiplíneach agus céim leifteanaint aige. Bhíodh sé traochta tnáite gach oíche tar éis a bheith ag siúl thart i measc shráideoga na saighdiúirí gonta.

I dtaca leis an Iodáil de, bhí deireadh leis an chogadh nuair a buaileadh na hOstaraigh go trom ag Vittorio Veneto ar 24 Deireadh Fómhair 1918. Síníodh an sos cogaidh ar an Fhronta Iodáileach ar 3 Samhain agus cuireadh i bhfeidhm é an lá dár gcionn. Bhí Angelo Roncalli saor; is é sin le rá nár lig na húdaráis orthu go bhfaca siad é ag imeacht, bíodh is nach ndearnadh é a dhíshlógadh go hoifigiúil go dtí 28 Feabhra 1919. Chuir sé ceal ina éide airm ar an toirt. Ní bheadh gá aige lena leithéid go deo arís.

Comhairleoir, cuairteoir agus taidhleoir

Ar fhilleadh ón arm dó, chuaigh an tAthair Roncalli ar ais ag léachtóireacht i gcliarscoil Bergamo agus mar chúram breise bhí air feidhmiú mar stiúrthóir ar áras úr cónaithe do mhic léinn, mar a raibh daichead mac léinn faoina stiúir. Réitigh an cúram seo go maith leis agus bhain sé cuid den chumha de i ndiaidh na rúnaíochta. I rith an ama seo fosta, bhí sé ina shéiplíneach ar Aontas na mBan Caitliceach, eagraíocht a bhí thar a bheith láidir i mBergamo. Ina theannta sin cheap easpag úr Bergamo é ina stiúrthóir spioradálta ar an chliarscoil ar 8 Meitheamh 1919.

Corradh le bliain tar éis sin, ar 6 Nollaig 1920, tháinig litir chuige ón chairdinéal William van Rossum, stiúrthóir *Propaganda Fide* (Comhthionól um Shoiscéalaíocht na gCiníocha), inar dhúirt van Rossum go raibh sé ar intinn aige Roncalli a thabhairt chun na Róimhe le bheith ina stiúrthóir náisiúnta ar an eagraíocht. Ba go drogallach a ghlac Roncalli leis an cheapachán seo, a rinneadh oifigiúil ar 10 Eanáir 1921. Ar a bhealach chun na Róimhe dó, thug sé cuairt ar a sheanchomhairleoir, an cairdinéal Ferrari don uair dheireanach, óir fuair seisean bás coicís ina dhiaidh sin.

Rinne caibidil ardeaglais Bergamo canónach de Roncalli i mí Mhárta 1921, agus i gceann cúpla mí eile, 7 Bealtaine, rinneadh *monsignore* de, de thoradh a phoist i *bPropaganda Fide*. Thug sé leis a bheirt dheirfiúr, Ancilla agus Maria, chuig an ardchathair le bheith ina bhfreastalaithe dó ina árasán. Thug sé lóistín d'iar-reachtaire a sheancholáiste sa Róimh, an monsignor Vincenzo Bugarini, a bhí ar pinsean faoin am seo agus gan áit ar bith aige le cur faoi – léiriú simplí eile ar a chineálta a bhí an tAthair Roncalli.

Ar 17 Feabhra 1925, agus Roncalli ceithre bliana ar éigean ina phost úr, chuir an cairdinéal Pietro Gasparri, rúnaí stáit Pius XI, fios air agus cuireadh in iúl dó go rabhthas á cheapadh ina chuairteoir aspalda chun na Bulgáire, mar a mbeadh air tuairisc a thabhairt faoi staid Chaitlicigh na tíre sin. Ba é sin a chéad chéim ar dhréimire na taidhleoireachta. Nuair a ceapadh Pius XI féin ina ambasadóir chun na Polainne sa bhliain 1919, is beag nach ndearnadh neamhiontas de as siocair nach raibh sé ina ardeaspag ná ina easpag féin. Bhí faitíos air anois go mbeadh an chinniúint chéanna i ndán do Roncalli, agus dá bharr sin cheap sé é ina ardeaspag teidealach ar Areopolis agus choisric é ar 19 Márta 1925. Bhí sé i ndán don ardeaspag úr deich mbliana diansaothair agus dubhchruatain a chur isteach sa Bhulgáir. Mhothaíodh sé an-uaigneach ó am go chéile agus imní air go raibh lucht na Vatacáine á ligint i ndearmad. Ba le linn dó bheith i Sofia a síníodh Conradh na Lataráine agus a thosaigh faisistigh na hIodáile ag dul ó neart go neart, ach ba i bhfad i gcéin a bhí an t-ardeaspag Roncalli agus na nithe aibhseacha seo ag tarlú – cé go mbíodh faill aige ó am go ham filleadh ar a thír dhúchais ar saoire. Is ar an *Orient Express,* a raibh dúil mhillteanach aige inti, a dheineadh sé an turas gach uair. Chaitheadh sé bunús a chuid ama i Sofia ag iarraidh staid na gCaitliceach úd, a mba den bhrainse oirthearach iad, agus ar a dtugtar *Aonaigh* ('uniates' as Béarla), a fheabhsú.

Ar 24 Samhain 1934, ainmníodh ina thoscaire aspalda chun na Tuirce agus chun na Gréige é agus aistríodh go deoise theidealach Mesembria é. Thug sé a aghaidh ar an Tuirc den chéad uair. I mí Mheithimh na bliana 1935, chuir Kemal Ataturk, uachtarán na Tuirce, cosc ar chaitheamh éide iartharach nó éide a bhain le creideamh ar bith, agus b'éigean don ardeaspag Roncalli gnáthéadaí a chaitheamh. Níor chuir an riail seo isteach air ar chor ar bith, agus cé go gceapfá a mhalairt ón dlí úd, d'éirigh go sármhaith le Roncalli sa Tuirc. Chuir sé aithne mhaith ar bhaill áirithe den rialtas agus ar chuid de cheannairí na hEaglaise Ceartchreidmhí. Ba le linn dó bheith in Iostanbúl a d'éag a thuismitheoirí i Bergamo. Fuair a athair ionmhain bás i mí Iúil 1935 agus a mháthair dhíl i mí Feabhra 1939. Ní raibh ar a chumas teacht abhaile chun freastal ar cheachtar den dá thórramh, rud a ghoill go mór air. Bíodh is gur bhreá a d'éirigh leis sa Tuirc, bhain bás a thuismitheoirí cuid den bhlas dá sheal inti.

Bhog sé chun na Gréige díreach sular ghabh na Gearmánaigh seilbh ar an tír sin sa bhliain 1941. Sa Tuirc dó, bhí Roncalli in ann tuairiscí tairbheacha a chur ar ais chun na Vatacáine, óir bhí an tír sin neamhspleách ar na tíortha a bhí in adharca a chéile. D'éirigh sé mór le Franz von Papen, Ambasadóir na

Gearmáine – a bhí ina chaitliceach – agus lean sé leis na tuairiscí a sheoladh abhaile tar éis a aistriú go dtí an Ghréig. Rud eile de, chuaigh aige fóirithint a dhéanamh ar bhunadh na Gréige a bhí faoi bhráca na hainnise de bharr fhorghabháil na Gearmáine (1941-1944).

Níor dhual dó bheith ina thoscaire aspalda i bhfad eile, áfach, óir sula raibh an cogadh thart fuair sé ardú céime. Rinneadh taidhleoir de an iarraidh seo. Ainneoin daoine áirithe sa Vatacáin bheith glan ina choinne, thogh Pius XII é ina nuinteas chun na Fraince. Bhain sé Páras amach ar 31 Nollaig 1944 agus na Gearmánaigh díreach tar éis teitheadh. Agus Roncalli sa phost tábhachtach seo, bhí air dul i ngleic le cúpla ceist achrannacha. Ar an gcéad dul síos bhí ceannairí an *Résistance* ag cur i leith cuid mhaith d'easpaig na Fraince gur chomhoibrigh siad faoi choim le rialtas Vichy le linn do na Gearmánaigh bheith i gcumhacht. Rinneadh tréaniarracht, ar an ábhar sin, 33 de na heaspaig a ruaigeadh as a bpoist. Rinne Roncalli an scéal a fhiosrú ar son na Vatacáine agus bhí de thoradh ar an bhfiosrúchán gur tugadh ar triúr easpag éirí as oifig. Bhain sin an teas as an aighneas. Rud eile a d'éirigh leis a bhaint amach, ná gur cuireadh cóir thrócaireach Chríostúil ar na príosúnaigh Ghearmánacha, agus gur scaoileadh saor ar ball iad. D'éirigh le Roncalli freisin cead a fháil do phríosúnaigh Ghearmánacha, arbh ábhar sagairt iad, leanúint dá gcuid oiliúna i Chartres.

Amach ón saothar carthanach sin, mheall sé lamháltas ó Rialtas na Fraince le haghaidh maoiniú scoileanna caitliceacha na tíre. Chuir sé féin spéis mhór fosta agus é sa Fhrainc i ngluaiseacht na 'sagart-oibrithe', sagairt a dheineadh gnáthlá oibre sna monarchana, ach a chomhlíonadh a ndualgais sagartúla san am céanna. Bhí an ghluaiseacht sin faoi lán seoil sa Fhrainc ag an am (cé gur cuireadh srian léi níos déanaí, mar is eol dúinn).

Tríd is tríd, bhí an seal a chaith Roncalli ina nuinteas i bPáras ar ceann des na tréimhsí ba rathúla ina shaol go dtí sin.

Ón bhliain 1952 amach, bhí sé ina bhuan-bhreathnadóir in UNESCO. Ar 12 Eanáir 1953, agus é in aois a 72 bhliain, ceapadh an t-ardeaspag Roncalli ina chairdinéal-sagairt, agus é ar intinn ag an Vatacáin post éigin sa *Curia* a thabhairt dó. Ní mar sin a tharla, áfach, óir ar 15 Eanáir 1953, trí lá i ndiaidh a cheaptha ina chairdinéal, tairgeadh Patrarcacht Veinéise dó agus ghlac sé go fonnmhar léi. Ba sa phost sin a bhí sé, sa bhliain 1958, nuair a foilsíodh an t-imleabhar deiridh den mhórshaothair a raibh sé ag obair air ina am saor ó 1909 ar aghaidh, *Gli atti della visita apostolica di S. Carlo Borromeo a Bergamo 1575* (cúig imleabhar 1936-1958).

Agus é i Veinéis, bhí sé thar a bheith díograiseach ina dhualgais tréadacha agus chonacthas do phobal na deoise gur dhuine fíor-uiríseal a bhí ann, gan éirí in airde dá laghad ann. Níorbh fhada a sheal sa chathair álainn úd, áfach, óir ar éag don Phápa Pius XII glaodh ar an chairdinéal Roncalli chun tionól cairdinéal an 25-28 Deireadh Fómhair 1958.

Pápacht Eoin XXIII

Toghadh an cairdinéal Roncalli ina chomharba ar Pius XII ar an 12ú crannchur – an chéad phápa le fada an lá a mba den íosaicme é. Rinneadh é a chorónú ar 4 Samhain, lá fhéile a mhórghaiscígh Carlo Borromeo. Cuireadh ionadh ar a raibh i láthair nuair a d'fhógair sé, ar a cheapadh dó, *Vocabur Johannes* ('Eoin' a bheas mar ainm orm'). Roghnaigh sé an t-ainm sin as siocair, a dúirt sé, go mba Eoin *(Giovanni)* a bhí ar a athair, agus gurbh é a b'ainm ní amháin don séipéal inar baisteadh é ach d'Eaglais an phápa sa Róimh, Naomh Eoin Lataráine, chomh maith. Ó tharla an pápa úr bheith seacht mbliana déag is trí scór d'aois, nach mór, bhí cuid mhaith daoine den tuairim nach mbeadh ann ach *papa di passagio* (pápa idirthréimhseach) a d'fheidhmeodh go dtí go gceapfaí fear ní b'óige agus ní b'fhuinniúla ná é. Nár mhór an dul amú a bhí orthu! D'ainneoin nár dhual dó ach thart ar cúig bliana a chaitheamh sa Chathaoir Naofa, féach an réabhlóid (ní háibhéil sin a thabhairt uirthi) a chuir sé i bhfeidhm san Eaglais sa tréimhse ghearr sin, mar a fheicfidh muid thíos.

Le linn d'Angelo Roncalli bheith á chorónú, thug sé le fios gurbh é ab áil leis bheith ina 'aoire fónta' ar phobal Dé agus i ndeireadh a réimis ghairid, ba bheag duine a shéanfadh gur éirigh go seoigh leis an cuspóir sin a chur i gcrích. Choinnigh sé an rúnaí a bhí aige agus é i Veinéis (Loris Capovilla), agus cheap sé Domenico Tardini mar leasrúnaí stáit – cairdinéal-rúnaí stáit ar ball.

Thug sé le fios, gan fiacail a chur ann, nach raibh dúil dá laghad aige sa *sedia gestatoria* – an ríchathaoir iniompartha ar ghnách leis an phápa suí in airde uirthi. B'fhuath le hEoin XXIII fosta 'rialacha ar son rialacha' agus ceann de na chéad nithe dá ndearna sé mar phápa ag an chéad tionól cairdinéal a ghairm sé, ar 15 Nollaig 1958, ná deireadh a chur le gnás a bhí ann ó aimsir Sixtus V (1585-90) - líon na gcairdinéal a choinneáil ag a 70. D'ardaigh sé a n-uimhir ionas go raibh 87 acu i gcoláiste na gcairdinéal faoin bhliain 1962. Ag an chéad tionól sin d'ainmnigh sé Giovanni Battista Montini (Pól V ar ball), ardeaspag Milano, agus Domenico Tardini, a rúnaí stáit, ina gcairdinéil. Is amhlaidh a bhí an 'hata dearg' ceilte ar Montini roimhe seo ag Pius XII ar chúis éigin, rud a chosc air bheith páirteach sa tionól a thogh Eoin XXIII. Ach go b'é sin, is é is dócha ná go gceapfaí Montini ina phápa in ionad Roncalli - ach thiocfadh a shealsan in am agus i dtráth!

I dtús na bliana 1959, ar 25 Eanáir, chuir sé roimhe tús a chur le trí mhórthionscnamh. B'iad seo (a) sionad a thionól do dheoise na Róimhe; (b) tabhairt faoi athleasú a dhéanamh ar an dlí canónda; (c) comhairle uilechoiteann, nó éacúiméineach, a ghairm. Ba é an tríú ceann acu, ar ndóigh, an ceann ba shuntasaí agus an ceann ba mhó tionchar, agus fágfaidh muid i leataobh go fóill beag é. Tionóladh Sionad na Róimhe in Eaglais Naomh Eoin Lataráine ó 24 go 31 Eanáir 1960, agus é mar aidhm aige saol na hEaglaise i ndeoise na Róimhe a athnuachan ó bhun go barr agus ba é sin díreach an toradh a bhí air.

Maidir le hathleasú an dlí chanónda, ghlac Eoin XXIII an chéad chéim chuige sin nuair a chuir sé coimisiún pointifiúil ar bun ar 28 Márta 1963 agus é ag tarraingt ar dheireadh a shaoil. Bíodh is nach raibh sé i ndán dó toradh a chuid saothair a fheiceáil sa chás seo, ná i gcás na Comhairle, mar a fheicfidh muid thíos, ní hionann sin is a rá nach ndearna sé a sheacht ndícheall chun nithe eile a bhain le heagrú is riaradh na hEaglaise a chur in oiriúint don dara leath den fhichiú aois.

Ar an gcéad dul síos, bhí cairdinéil de chuid an *curia* i mbun na miondeoisí stairiúla i bhfobhailte na Róimhe, ar nós Frascati, go teidealach de réir ghnáis seanbhunaithe. Ó tharla sin bheith ag cur bac ar chúrsaí riaracháin, d'fhógair an pápa i litir phearsanta a chuir sé amach ar 11 Aibreán 1962 nach mbeadh na deoisí sin faoi dhlínse na gcairdinéal níos mó, ach go mbeadh na heaspaig áitiúla i gceannas orthu.

Ceithre lá ina dhiaidh sin, i litir eile chuir Eoin XXIII deireadh le nós eile a bhí, dar leis, aimhrialta go maith. Is amhlaidh a bhíodh stádas éagsúil ag cairdinéil éagsúla go dtí sin, cairdinéil sagairt agus cairdinéil easpaig agus araile. D'fhógair an Pápa mar sin go mbeadh gradam easpaig ag gach uile chairdinéal as sin amach, ba chuma cén teideal a bronnadh i dtús báire air. Bhain an cás sin leis féin go pearsanta, ar ndóigh, nó ceapadh ina chairdinéal sagairt é, mar a chonaic muid, agus is dócha gur ghoill sin beagán air. Agus muid ag caint faoi scéal na gcairdinéal, is fiú an dá aguisín bheaga seo a leanas a lua. Ar 22 Feabhra 1959, d'eisigh Eoin XXIII litir inar chuir sé oifig úrnua le *Curia* na Róimhe – an Coimisiún Pointifiúil um Scannánaíocht, Raidió agus Teilifís – agus leag síos rialacháin lena fheidhmiú. Agus i litir a eisíodh ar 5 Meán Fómhair 1962 d'ordaigh sé go mbeadh patrarcaí Ríotas an Oirthir nár chairdinéil iad ina gcomhbhaill de Chomhthionól Eaglais an Oirthir. Chuir sin críoch le haimhrialtacht bheag eile.

De bharr nach raibh a sheal mar phápa rófhada, níor tháinig an oiread sin imlitreacha óna pheann – cé go mba mhór an méid é ocht gcinn in achar gairid cúig bliana. Bhí siad uilig ag cur leis an chuspóir a chuir sé roimhe ar lá a chorónaithe, is é sin bheith ina 'aoire fónta'. Ba imlitreacha tréadacha, seachas dogmacha, iad go léir.

D'eisigh sé an chéad cheann acu, *ad Petri cathedram,* ar 29 Meitheamh 1959. Thrácht sé inti ar an fhírinne, an aontacht agus an tsíocháin, a thuilltear, agus a chothaítear, trí charthanacht

Chríostaí. Mí ina dhiaidh sin foilsíodh an dara ceann, *Sacerdotii nostri primordia,* ar 31 Iúil 1959, ar ócáid chuimhneachán céad bliain bhás Naomh Jean-Marie Baptiste Vianney *(curé d'Ars).*

Bhí cur síos sa tríú ceann *(Grata recordatio,* 29 Meán Fómhair 1959) ar aithris an phaidrín pháirtigh; agus eisíodh an ceathrú ceann dhá mhí ina dhiaidh sin *(Princeps Pastorum, 28 Samhain 1959),* daichead bliain cothrom ó foilsíodh an litir aspalda *Maximum Illud* faoi na misin. San imlitir seo leag Eoin XXIII béim ar an ghéarghá a bhí fós le cléir dhúchasach i dtíortha misineacha, agus cé chomh tábhachtach is a bhí aspalacht na dtuataí chomh maith.

Ba í *Mater et Magistra* (15 Bealtaine 1961 an dáta foilsithe atá léi cé nár tháinig sí amach go dtí 15 Iúil 1961) an cúigiú himlitir uaidh. Chuir sí ionadh ar a lán idir chléir agus tuataí, ó tharla go bhfacthas dóibh go séantar inti cuid de theagasc na bpápaí a chuaigh roimhe. Dar leo gur ghlac Eoin leis san imlitir go gcuireann an stát leasa shóisialaigh leas an phobail in iúl, san áit a raibh na pápaí roimhe sin den tuairim gur chuir sé an Cumannachas, nó ar a laghad, an Sóisialachas, in iúl agus go raibh claonadh aige an duine a ísliú go stádas 'uathoibreán'. I mí na Samhna, d'eisigh Eoin *Aeterna Dei* (11 Samhain 1961) ar ócáid chuimhneachán 1500 bliain bhás Naomh Leon Mór, a d'éag sa bhliain 461.

Bhí Comhairle Vatacáin a Dó ar na bacáin faoin am a foilsíodh an seachtú himlitir *Paenitentiam agere* (1 Iúil 1962) inar chuir an Pápa ar a súile do Chaitlicigh ar fud an domhain an gá a bhí le haithreachas ionas go mbeadh rath ar an Chomhairle seo.

Bhí an t-ochtú ceann – an ceann deiridh agus an ceann ba cháiliúla díobh uile *(Pacem in terris,* 11 Aibreán 1963) – dírithe ar 'an phobal ar a bhfuil a ghnaoi' agus thug Eoin XXIII le fios dóibh gur féidir síocháin a bheith i réim sa domhan ach í bheith bunaithe ar an fhírinne, an chóir, an charthanacht agus an tsaoirse, agus gur cheart an tsochaí a eagrú dá réir; agus nár mhór don Iarthar agus don Oirthear bheith ag maireachtáil go síochánta lena chéile. Bhíothas chomh sásta sin le *Pacem in terris,* go mórmhór sna tíortha taobh thiar den 'Chuirtín íarainn', go raibh de thoradh uirthi gur fhéad an pápa Eoin XXIII fáilte a chur chun na Vatacáine, ar 7 Mártha 1963, roimh Aleksei Adzhubei, cliamhain Nikita Kruschev, a bhí ina eagarthóir ar an nuachtán *Izvestia*.

D'fhág Eoin a rian ar an liotúirge freisin. Threabh sé claiseanna úra ach san am céanna choinnigh sé smacht daingean ar chúrsaí na hEaglaise ar eagla go rachfaí thar fóir leo. Sa litir phearsanta a foilsíodh ar 25 Iúil 1960, mar shampla, leag sé amach rúibrící úra don Oifig Dhiaga (Portús) agus do Leabhar an Aifrinn, agus ar 21 Deireadh Fómhair 1961, cheadaigh sé go ndáilfí an Chomaoineach Naofa ar na heasláin um thráthnóna, rud nach raibh ceadaithe roimhe sin. Os a choinne sin, áfach, thug sé rabhadh nó dhó go rabhthas ag dul thar fóir in áiteacha in onórú na naomh. Sampla beag eile dá spéis sa liotúirge ab ea gur shocraigh sé go mbeadh leagan amach an Liotúirge ar an chéad ábhar a phléifí ag an chéad seisiún de Chomhairle Vatacáin II.

Bhí croí Eoin XXIII san éacúiméineachas freisin agus is mór an dul chun cinn a rinneadh sa ghluaiseacht seo a fhad is a bhí seisean i gcoróin. Reachtáladh comhchainteanna tábhachtacha idir diagairí caitliceacha agus diagairí· ceartchreidmheacha i Ródos, i mí Lúnasa na bliana 1959, le linn do Chomhdháil Dhomhanda na nEaglaisí a bheith i ndáil chomhairle ansin. Rud eile de, nuair a chuir Pius XII Féile Mhuire Banríon na hEaglaise ar liosta na bhféilte eaglasta, bhí Roncalli glan ina choinne, óir bhí sé den tuairim go ndéanfadh an cinneadh sin dochar don chaidreamh le brainsí eile den Chríostaíocht.

Ar 5 Meitheamh 1960, chuir sé an Rúnaíocht um Chothú Aontacht na gCríostaithe ar bun agus an Cairdinéal Augustin Bea i gceannas uirthi. Thug seo misneach as cuimse dóibh siúd a raibh bá acu leis an éacúiméineachas. I gceann sé mhí eile (20 Nollaig 1960), d'fháiltigh Eoin XXIII roimh Geoffrey Fisher, Ardeaspag Canterbury Shasana, agus faoi cheann sé mhí eile, ar 27 Meitheamh 1961, cuireadh beirt thoscaire ón Vatacáin ionsar Athanagoras, Patrarc Chathair Chonstaintín. Anuas air sin, i mí na Samhna sa bhliain chéanna bhí ionadaithe ón

Eaglais Chaitliceach i láthair ag cruinniú de Chomhdháil Dhomhanda na nEaglaisí i Nua Deilhí – an chéad uair riamh dár tharla a leithéid.

Bhain Eoin XXIII cuid mhór den ghoimh as an chaidreamh idir Chaitlicigh agus Giúdaigh, chomh maith, nuair a bhain sé téarmaí tarcaisneacha ar nós *perfidus* (fealltach) agus *perfidia* (feall) as liotúirge Aoine an Chéasta. Roimhe sin deirtí na focail *Oremus et pro perfidis Judaeis* ('Guímis, fiú, ar son na nGiúdach *fealltach*') sa phaidir a thagann roimh an seachtú urnaí tar éis an tsoiscéil, agus deirtí … *qui etiam Judaicam perfidiam a tua misericordia non repellis* (…. nach ndiúltaíonn tú do thrócaire fiú ar *fheall* na nGiúdach') sa phaidir féin. B'ábhar sóláis agus sásaimh an t-athrú sin do Ghiúdaigh ar fud an domhain.

Rinne an pápa cion fir le saoirse a bhaint amach d'ardeaspaig agus d'eaglaisigh eile a bhí i bpríosún i dtíortha cumannacha. D'éirigh leis i gcás clúiteach amháin, ach ní raibh rath ar a iarrachtaí, faraor, i mbunús na gcásanna eile. Chuaigh aige, mar shampla, a shaoirse a ghnóthú do Josyf Slipyi, ardeaspag oireachais Lvov na hÚcráine a bhí i ngéibheann sa tSibéir, ach theip air saoirse a bhaint amach don Chairdinéal Jozsef Mindszenty, ardeaspag Esztergom na hUngáire.

Nuair a bhí imshuí Bheirlin Thiar ar siúl ag na Rúisigh sa bhliain 1961, agus teannas mór dá bharr idir iad féin ar thaobh amháin agus Meiriceánaigh, Francaigh agus Sasanaigh ar an dtaobh eile, chinn Eoin XIII ar iarracht a dhéanamh an fhadhb a réiteach ar bhealach síochánta. Ar 10 Meán Fómhair 1961 chuir sé scéala chuig cinnirí na dtíortha a bhí in adharca a chéile, ag impí orthu tarraingt siar agus machnamh a dhéanamh ar a raibh ar siúl acu sula mbeadh sé ró-dhéanach agus go gcuirfí an lasóg sa bharrach. An bhliain dár gcionn, agus cogadh ar siúl san Ailgéir, chuir an pápa teachtaireachtaí chuig Rialtas na Fraince agus chun na réabhlóidithe Ailgéireacha, ar 2 Meitheamh 1962, ag iarraidh ar an dá thaobh teacht ar réiteach síochánta. B'ionann cás, ní ba dhéanaí an bhliain sin, le 'géarchéim na ndiúracán', mar a tugadh uirthi, agus í faoi lán seoil i gCúba. Chuir sé scéala chuig na mórchumhachtaí ag impí orthu labhairt lena chéile agus gan cogadh scanrúil eile a tharraingt anuas ar phobail chráite an domhain, a bhí fós ag teacht chucu féin i ndiaidh uafáis an chogaidh nach raibh i bhfad thart.

De thoradh na n-idirghabhálacha sin go léir, bhronn Fundúireacht 'Balzan' a duais síochána don bhliain 1962 ar Eoin XXIII – agus sin le beannacht bhaill shóivéideacha na fundúireachta, agus Nikita Kruschev ag tacú leo.

Ní beag sin faoi chúrsaí 'polaitíochta'. Féachaimis anois seal ar shaothar Eoin mar easpag na Róimhe. 'Aoire fónta' a bhí ann gan aon agó, díreach mar a chuir sé roimhe an lá úd a rinneadh é a chorónú i mBaisleac Pheadair. Bhíodh sé ag tabhairt cuairte gan stad gan staonadh ar ospidéil, ar scoileanna agus coláistí, agus ar phríosúin a fhairche. Faoi Nollaig na bliana 1958 d'athbhunaigh sé gnás a ligeadh i léig siar sa bhliain 1870 – tráth a ndearnadh 'príosúnach na Vatacáine' den phápa – nuair a thug sé cuairt ar chimí i bpríosún Regina Coeli na Róimhe – rud a rinne sé gach bliain as sin amach go dtí deireadh a shaoil.

Thaistil Eoin ní ba mhó ná pápa ar bith ó aimsir Pio Nono (Pius IX) ar aghaidh – i ngluaisteáin agus ar thraenacha. Thug sé cuairt thraenach, mar shampla, ar 4 Deireadh Fómhair, ar Loreto agus ar Assisi.

Maidir le cúrsaí oiliúna i ndeoise na Róimhe, thug an pápa ardú stádais do *Athanaeum* na Lataráine ar 17 Bealtaine 1959, nuair a rinne sé Ollscoil Phointifiúil de. Rinne sé amhlaidh le *hAtaenaeum* an *Angelicum* ar 7 Márta 1963. Lá Fhéile Naomh Tomás Acuineach a bhí ann ag an am, agus ba é an t-ainm a tugadh ar an ollscoil nua seo ná Ollscoil Phointifiúil Naomh Tomás Acuineach, an t-ainm atá uirthi ó shin i leith. Sa bhunreacht aspalda *Veterum sapientia* a d'eisigh sé ar 22 Feabhra 1962, mhol sé go tréan go gcuirfí an Laidin chun cinn mar ábhar staidéir sna cliarscoileanna, ní hamháin i ndeoise na Róimhe, ach ar fud na hEaglaise chomh maith (is cosúil gur ligeadh an moladh áirithe sin i ndearmad ó shin – sa tír seo ach go háirithe! Agus ní bréag é a rá go ndearna a chomharba, Pól VI, buille an bháis a thabhairt don Laidin ar a shealsan).

Ó thaobh chraobhscaoileadh an tSoiscéil de, ní dhearna Eoin XXIII aon dá leath dá dhícheall ag iarraidh an Eaglais a neartú i Meiriceá Theas, ná ní raibh lá leisce air labhairt amach go mion is go minic faoi 'Eaglais an Tosta', agus a thabhairt le fios a bhuartha a bhí sé mar gheall uirthi. Ní thugadh sé féin an t-ainm sin uirthi, ar eagla go gcuirfí olc ar údaráis na dtíortha úd – is é sin Eaglais Oirthear na hEorpa agus na hÁise. Ar 28 Samhain 1959, choisric sé 14 easpag don Afraic, don Áis is don Aigéine i mBaisleac Naomh Peadar, agus 14 eile san ionad céanna ar 21 Bealtaine 1961. Ba chomharba fíor é ar Pius XII, Pius XI agus Benedict XV ó thaobh tacaíocht a thabhairt do na misin.

Comhairle Vatacáin II

D'fhág muid an scéal is mó tábhacht agus tionchar i saol an Phápa Eoin XXIII go dtí an deireadh, is é sin comhairle uilechoiteann, nó éacúiméineach, Vatacáin II. D'ainneoin nach raibh sé i ndán dó ach tús a chur leis an mhórthionscnamh seo, ní dócha go mbeadh a macasamhail againn ar chor ar bith, mura mbeadh gur aigesean a bhí an fhís, an aisling, an inspioráid. Bhí sé de chrann ar a chomharba, Pól VI, a shaothar a thabhairt chun críche.

Siar sa bhliain 1870 tháinig clabhsúr tobann le Comhairle Vatacáin I, agus gan ach ceist amháin socraithe dá raibh ar an chlár, is é sin do-earráideacht an phápa. De bharr gur achtaíodh an cinneadh sin faoi dheifir agus faoi bhrú, bhí claonadh ann gan béim go leor a leagan ar dho-earráideacht choláiste na n-easpag agus iad i ndáil chomhairle le chéile. Dhéanfaí maolú, áfach, ar an chlaonadh úd ag Comhairle Vatacáin II, sa mhéid is go bhfágadh Eoin XXIII na heaspaig ar a gconlán féin agus iad ag díospóireacht faoi ábhair éagsúla na Comhairle.

Mhaíodh Eoin i dtólamh go mba tinfeadh an Spioraid Naoimh faoi ndeara dó an Chomhairle a ghairm, ach deirtear gur thug na cairdinéil Ottaviani agus Ernesto Ruffini (beirt a bhí thar a bheith coimeádach) cuairt air le linn an tionóil inar toghadh é, agus go ndúirt go mba bhreá an rud é Comhairle eile a ghairm – bíodh is gur Vatacáin I eile, é sin nó Trionta eile, a bhí ar aigne acusan! De réir na físe a d'fhabhraigh in aigne Eoin, áfach, is é rud a bheadh sa Chomhairle ná Cincís úrnua don Eaglais, ar aon dul leis an chéad Chincís a chuir an Eaglais ar a bonnaí agus a bhfuil cur síos uirthi i nGníomhartha na nAspal. Bhaineadh an pápa feidhm as an fhocal Iodáilise *aggiornamento,* téarma a chuireann 'athnuachan ó bhun' i gcéill, agus maítear gur labhair sé faoi 'fuinneoga na Vatacáine a oscailt go hiomlán' chun aer úr a ligean isteach. Is é rud a bhí uaidh ná teagasc, disciplín agus córas eagraithe na hEaglaise a athnuachan ó bhun go barr agus bealach athaontaithe na hEaglaise a aimsiú ar an gcaoi sin, is é sin na pobail a thréig anallód í, thoir agus thiar, a mhealladh ar ais san aon phobal amháin athuair. Ina aitheasc tosaigh, chuir sé ina luí ar na heaspaig nár mhór idirdhealú glan a dhéanamh idir an *depositum fidei* (taisce an chreidimh), a bhí do-athraithe, agus modh a fhógartha, a d'fhéadfaí a chur in oiriúint don aois nua.

Seo mar a chuaigh Eoin XXIII i mbun oibre. Ar 5 Meitheamh 1960 chuir sé coimisiún ar bun chun an tslí a réiteach don Chomhairle. Tugadh cuireadh roimh ré d'ionadaithe oifigiúla chuig ocht gcinn déag de na heaglaisí Críostaí eile bheith sa láthair. D'oscail an pápa an Chomhairle i mBaisleac Pheadair sa Róimh ar 11 Deireadh Fómhair 1962. Ina aitheasc tosaigh, a ndearna muid tagairt cheana féin dó, d'iarr sé ar na haithreacha a bhí i láthair an fhírinne a léirmhíniú ar mhodh dearfach, gan dul i muinín an *anathema* (cáineadh), mar ba nós i gcomhairlí eile (a mhacasamhail seo: 'má dhéanann duine seo nó siúd, *anathema sit!* – is é sin, '... go raibh mallacht air', nó '... go gcáintear é'.)

I ndiaidh dó an Chomhairle a fhógairt ar oscailt, labhair Eoin XXIII go pearsanta le 86 mhisean neamhchoitianta a bhí tagtha ó rialtais agus dreamanna éagsúla idirnáisiúnta chun na Comhairle, agus ansin leis na 39 mbreathnadóir a ghlac le cuireadh bheith i láthair. Cé nár ghnách leis an phápa féin bheith i láthair le linn díospóireachtaí éagsúla na Comhairle, chuir sé a ladar isteach ar ócáid cháiliúil amháin. Ar 21 Samhain 1962 rialaigh sé gur chóir an dréacht doiciméid ar an Fhoilsiú Dhiaga a aistarraingt, ó tharla breis agus leath de na

73

haithreacha bheith míshásta leis, ach gan an líon díobh a ba ghá lena chaitheamh amach ar fad. Iarradh ansin ar choimisiún úrnua, a bheadh comhdhéanta de bhaill na gcoimisiún eile, an doiciméad a ath-dhréachtú.

Ar 8 Nollaig 1962, chuir Eoin XXIII clabhsúr ar an chéad seisiún den Chomhairle, agus d'fhógair sé ar athló í go ceann naoi mí. Bhí sé féin breoite i gceann an ama seo, bíodh is nárbh fhios sin do mhórán. Is amhlaidh a fuair sé deimhniú ar 23 Meán Fómhair 1962 go raibh ailse ghoile air – an galar a ba cionsiocair le bás a bheirt dheirfiúr, Ancilla agus Maria, tamall roimhe sin – agus ní raibh sé i ndán dó bheith beo don dara seisiún. Thitfeadh sé ar chrann a chomharba an dara seisiún sin a thionól. Go gairid tar éis na Nollag, ar 6 Eanáir 1963 le bheith beacht, sheol Eoin litir, *Mirabilis ille,* chuig an uile bhall den Chomhairle inar mhínigh sé cén dóigh ar chóir dóibh leanúint den obair i rith an tsosa, agus á chur ar a súile dóibh nárbh fholáir leanúint den obair ar leibhéal áitiúil chomh maith.

Críoch

Ba é 22 Bealtaine 1963 an lá deireanach a bhfacthas an pápa Eoin XXIII ag a fhuinneog i gCearnóg Naomh Peadar sa Vatacáin. Bhí an ailse air le bliain faoin am seo, agus í ag cur air go mór. Fuair sé bás tamall beag ina dhiaidh sin, ar 3 Meitheamh 1963. Luan Cincíse a bhí ann. Cuireadh i dtuama simplí é i lusca Bhaisleac Naomh Peadar. Dhá bhliain go leith ina dhiaidh sin, chuir a chomharba, an pápa Pól VI, tús le próiseas a naomhaithe agus a chanónaoithe (in éindí lena réamhteachtaí, Pius XII).

Bhí deireadh le ré ró-ghairid ach rí-ghlórmhar Eoin XXIII, 'Pápa na Comhairle', fear lách, umhal nár imir riamh uasal le híseal le duine ar bith, fear nár náir leis a admháil gur shíolraigh sé ó dhaoine bochta tuaithe. Fear soirbh, soilbhir, fear fial, forbhfáilteach a raibh gnaoi an phobail riamh air. Fear géarchúiseach, éirimiúil a bhí oilte san ailtireacht, sa tseandálaíocht agus sa stair. Ba chomhráití breá é a raibh 'na seacht dteangacha' ar a thoil aige. Seachas an Iodáilis agus an

Laidin, bhí sé líofa sa Bhulgáiris, sa Fhraincis, sa Ghréigis agus sa Tuircis. 'Aithleá úr gaoithe' ab ea é gan amhras, a shéid an deannach agus na téada damhán alla ar shiúl ó throscán ársa na hEaglaise.

[Mar fhocal scoir – nó mar aguisín, ba chóra a rá – b'fhéidir gur spéis le léitheoirí a fhios a bheith acu go raibh 'frithphápa' den ainm 'Eoin XXIII' ann sa chúigiú aois déag. B'in Baldassari Cossa, de bhunadh Napoli ó dhúchas, a thosaigh amach sa saol mar fhoghlaí mara! Bhí sé 'i gcumhacht' idir 1410 agus 1415. Ó tharla gur thoiligh sé lena ruaigeadh as oifig le linn Comhairle Konstanz (1415), agus gur thug a dhílseacht don phápa úr, Máirtín V, ceapadh go hoifigiúil ina easpag ar Tusculum (Frascati) sa bhliain 1419 é, ach níor mhair sé ach cúpla mí ina dhiaidh sin.]

CAIBIDIL 6

PÓL VI 1963 – 1978

Tús

Dála an phápa Eoin XXIII, tháinig a chomharba ó fhíorthuaisceart na hIodáile. Bhí an bheirt acu éagsúil lena chéile, áfach, ar gach bealach eile. Bhí meas acu ar a chéile ámh, ainneoin a éagsúla a bhí siad, agus le linn d'Eoin XXIII bheith breoite tinn, dúirt sé le duine a bhí cois na leapa, "Tá mise anseo chun an áit a réiteach do Montini".

Rugadh Giovanni Battista Montini i gConcesio, bruachbhaile beag ar imeall chathair Brescia na Lombáirde, ar 26 Meán Fómhair 1897. Ba d'uaisle na dúiche ó thaobh na dtaobhanna é. Úinéar mór talún ab ea a athair, Giorgio (1860-1943), a raibh spéis mhór aige san iriseoireacht, agus a bhí ina eagarthóir ar an pháipéar laethúil *Il Cittadino di Brescia* ó 1881 go 1912. Caitliceach go smior a bhí ann a rinne cion fir leis an gcaitliceachas a chur chun cinn agus a chaith cuid mhaith dá shaol ag cur na gluaiseachta Saothar Caitliceach ar aghaidh. Bhí suim mhór aige sa pholaitíocht fosta. Bhunaigh sé an *Partito Popolare Italiano* (Páirtí Phobal na hIodáile) i gcomhar le Don Luigi Sturzo.. Sheas sé don pháirtí sin i dtoghchán na bliana 1919 agus toghadh é ina theachta do chathair Brescia.

Ba de mhionuaisle na tíre sin freisin Giuditta Alghisi, máthair Giovanni Battista, a bhí ina cinnire ar mhná caitliceacha Brescia agus a raibh a mac thar a bheith doirte di. Bhí beirt mhac eile sa chlann, Ludovico agus Francesco.

Gasúr anbhann cotúil ab ea Giovanni Battista, nach raibh an chuid ab fhearr den tsláinte aige. D'fhreastail sé ar bhunscoil agus ar mheánscoil in Institiúid Cesare Arici de chuid na nÍosánach in aice lena bhaile féin, agus lean dá mheánoideachas i Liceo Arnaldo i mBrescia, mar ar bhain sé amach an t-ardteastas sa bhliain 1916.

Dála cuid mhaith stócach óga, bhraith Giovanni Battista gairm chun na sagartachta agus cláraíodh é i gcliarscoil na deoise. De bharr a easláinte tugadh cead dó cónaí sa bhaile agus é ag freastal ar léachtaí chomh maith agus d'fhéadfadh sé (dála Pius XII, mar a chonaic muid thuas).

Rinneadh sagart de ar 29 Bealtaine 1920 tar éis seal measartha gearr staidéir a chaitheamh sa chliarscoil. In ionad é a chur ag obair i bparóiste de chuid na deoise, ó tharla nár fhóir a easpa sláinte dá leithéid agus gur aithin na húdaráis go raibh eagna chinn neamhchoitianta aige, cuireadh chun na Róimhe é chun staidéar a dhéanamh ar an fhealsúnacht agus ar an dlí canónda san Ollscoil Ghreagórach, agus ar an litríocht in Ollscoil na Róimhe san am céanna. Tugadh lóistín dó i gColáiste na Lombáirde.

Ar nós cúpla duine dá réamhtheachtaithe, chláraigh sé in Acadamh Pointifiúil na nEaglaiseach Uasal (1922) agus lean dá chúrsa sa dlí canónda sa *Gregoriano* san am céanna. De thoradh ar a staidéar ar an dlí chanónda agus ar an seal a chaith sé san Acadamh, is dócha, ceapadh é ina *addetto* (*attaché*) in oifig an nuintis i Vársá na Pólainne agus thug sé aghaidh ar an tír sin i mí na Bealtaine 1923. Ó tharla go raibh leisce ar údaráis na Róimhe ligint dó geimhreadh crua na Pólainne a fhulaingt agus a shláinte ag cur as dó, ghlaoigh siad ar ais chun na Róimhe i mí na Samhna é.

Bliain tar éis dó teacht ar ais chun na hIodáile chríochnaigh sé a chúrsa sa *Gregoriano* agus i mí Dheireadh Fómhair na bliana 1924, ceapadh ina *addetto* in oifig an rúnaí stáit é, agus i gceann sé mhí eile, bronnadh ardú céime eile air nuair a rinneadh *minutante* (rúnaí miontuairiscí) de i mí Aibreáin 1925. B'fhollas gurbh í an taidhleoireacht a bheadh mar shlí bheatha aige feasta – d'ainneoin a mbeidh le rá againn sa chéad mhír eile.

A shaothar i measc aos ollscoile

Sa tréimhse seo dá shaol, chuir an tAthair Montini spéis i leathnú an Chaitliceachais i measc aos óg na n-ollscoileanna. Sa bhliain 1924, ceapadh é ina shéiplíneach cúnta do *Circolo Universitario Cattolico Romano* (Ciorcal Caitliceach Ollscoil na Róimhe), club nó cumann do mhic léinn chaitliceacha san ollscoil sin – mar a ndearna sé féin staidéar ar an litríocht. Ar ball ghlac sé post an phríomhshéiplínigh, Giovanni Cicognani. Agus é sa phost sin, d'eagraigh sé cúrsaí spioradálta do na mic léinn gach seachtain in Eaglais *San Paolo fuori le Mura* (Naomh Pól Taobh-Amuigh-de-na-Ballaí) agus thug amach iad chuig slumanna ar imeall na cathrach mar a raibh an bochtanas agus an frithchléireachas leitheadach go maith. Chuir sé craobh de Chumann Naomh Uinseann de Pól ar bun do na mic léinn fosta d'fhonn spiorad na carthanachta a chothú iontu.

Ag cloí le cúrsaí ardoideachais dúinn, feicimid Montini á cheapadh ina chúntóir eaglasta sa *Federazione Universitaria Cattolica Italiana* (FUCI, Cónascadh Caitliceach Ollscoileanna na hIodáile) sa bhliain 1925, post a thabharfadh air dul thart ar ollscoileanna na tíre ag tabhairt aitheasc d'fhonn an eagraíocht a neartú agus a threisiú, go mórmhór ó tharla *Gioventu*

Universitaria Fascistica (Óige Fhaisisteach na nOllscoil) bheith ar theann a díchill ag iarraidh an FUCI a chloí.

Bhunaigh Montini agus dornán daoine eile nuachtán dár teideal *La Sapienza* ('Eagna'), a thagadh amach uair in aghaidh na seachtaine, agus a raibh sé mar chuspóir aige *élite* díograiseach gníomhach caitliceach a chothú. I measc na ndaoine eile a bhí i bpáirt leis san fhiontar seo, bhí Igino Righetti, uachtarán an FUCI. Chomh maith leis sin ba ghnách leis an Athair Montini ailt a scríobh do *Studium* ('Staidéar'), iris an FUCI.

Sa bhliain 1927, chuir Montini agus Righetti comhlacht beag foilsitheoireachta ar bun agus ainm iris an FUCI air sin chomh maith. D'fhoilsigh an comhlacht seo trí leabhar de chuid Montini. B'iad seo *Coszienza universitaria* ('Coinsias ollscoile', 1930), *La via del Cristo* ('Bealach Chríost', 1931), agus *Introduzione alla studio di Cristo* ('Buntús staidéar ar Chríost', 1934). Chomh maith leis na leabhair sin a d'fhoilsigh *Studium,* chuir Montini Iodáilis ar dhá leabhar Fhraincise: *Tre Riformatori: Lutero, Cartesio, Rousseau* ('Triúr leasaitheoir: Liútar, Descartes, Rousseau', Brescia, 1927) a scríobh an fealsúnaí caitliceach Jacques Maritain; agus *La religione personale* ('Creideamh Pearsanta', Brescia 1934) ó láimh Léonce de Grandmaisson.

Faoin bhliain 1931, bhí na faisistigh ag cur isteach go mór ar an FUCI, agus mórán eagraíocht chaitliceacha eile dá leithéid, agus á gcur faoi chois. Chuir Montini agus Righetti cruinnithe poiblí an FUCI ar ceal, mar sin, agus chlóigh siad feasta le cruinnithe príobháideacha a eagrú i dtithe na mball go dtí go mbeadh deireadh leis na hionsaithe.

Lean siad orthu, d'ainneoin na faisistigh bheith ar a míle dícheall ag iarraidh stop a chur leo. Sa bhliain 1932 bhí siad beirt ag obair leo arís agus gan aon easpa samhlaíochta le brath orthu. Shocraigh siad ar ghluaiseacht úr a chur ar bun, do chéimithe an iarraidh seo, *Movimento Laureati Cattolici* (Ghluaiseacht na gCéimithe Caitliceach), agus é mar aidhm aici an spiorad agus an meon caitliceach a chothú agus a chur ar aghaidh i measc céimithe ollscoile.

Is cosúil go raibh barraíocht oibre idir lámha ag Montini faoin am seo, mar d'iarr sé cead éirí as oifig san FUCI sa bhliain dár gcionn (1933). Ní hé go raibh suim caillte aige san obair sin, ná baol air. Mhothaigh sé ámh faoi mar a bheadh seacht gcúraimí an tsléibhe air, óir dhá bhliain roimhe sin fágadh cúram breise ar a ghuaillí, de thoradh a phoist in oifig an rúnaí stáit, nuair a cuireadh ag teagasc ceird na taidhleoireachta in Acadamh na nEaglaiseach Uasal é.

Taidhleoireacht

Rinneadh 'prealáid teallaigh' (monsignor i seirbhís an phápa) den Athair Montini ar 8 Iúil 1931. Tugadh ardú céime eile dó ar 13 Nollaig 1937 nuair a rinneadh *sostituto* (cúntóir) de agus cuireadh i bhfeighil gnoithí intíre é faoin rúnaí stáit, Eugenio Pacelli (Pius XII ar ball). Bhí sé siúd measartha dian, neamhthrócaireach orthu siúd a bhí ag obair faoi, ach ba léir go raibh ardmheas aige ar an Monsignor Montini, óir thug sé cuireadh dó dul leis go Budapest nuair a seoladh chun na cathrach sin é mar thoscaire na Vatacáine don Chomhdháil Eocairisteach a tionóladh ansin sa bhliain 1938.

Níorbh fhada ina dhiaidh sin go ndearnadh pápa d'Eugenio Pacelli, agus d'fhág sé Montini ina phost faoin rúnaí stáit nua a cheap sé, an cairdinéal Luigi Maglione. Ar éag dó siúd sa bhliain 1944 níor ceapadh comharba air, ach fágadh Montini ina sheanphost agus é freagrach go díreach do Pius XII.

Bhí an Dara Cogadh Domhanda ag tarraingt chun deiridh faoin am seo agus d'fhág an pápa cúram obair chabhrach na hEaglaise ar fad ar ghuaillí Montini, rud a chruthaíonn (má bhí a leithéid de dhíth) cén mhuinín a bhí ag Pius XII as. Rud eile a d'fhág sé faoina stiúir ná an Oifig Eolais, a chraoladh ainmneacha phríosúnaigh chogaidh ar Raidió na Vatacáine sa dóigh is go gcuirfí a ngaolta ar an eolas agus go mbeadh siad in inmhe dul i dteagmháil leo. Obair ríthábhachtach ab ea í seo a rabhthas thar a bheith buíoch don rúnaíocht stáit go ginearálta agus don Monsignor Montini go pearsanta ar a son. Chomh maith leis an Oifig Eolais, cuireadh oifig eile ar bun chun dílaithrigh a athlonnú. Ní hé amháin sin ach chabhraigh Montini le dídeanaithe polaitiúla (go mórmhór Giúdaigh) a chur i bhfolach taobh istigh den Vatacáin agus in institiúidí eaglasta eile ó cheann ceann na Róimhe, mar a chonaic muid cheana.

San obair seo uilig a raibh sé sáite inti bhí Montini i gcónaí iontach séimh sochomhairleach, agus é ar a chumas déileáil go neamhchlaonta – ach go neamhbhalbh dá mba ghá – le teachtaí agus ionadaithe ó thíortha eile. Bhí meas as cuimse, mar shampla, ag Myron Taylor, teachta pearsanta an Uachtaráin Roosevelt, ar an eaglaiseach cumasach, cairdiúil, caomh seo a raibh an pápa chomh báúil sin leis

Agus an cogadh creathnach thart, fágadh de chúram breise ar an Monsignor Montini feidhmiú mar fhear teagmhála idir an Vatacáin agus na Meiriceánaigh a cuireadh anonn chun na hIodáile chun cúnamh iarchogaidh a eagrú sa tír. Chuir Montini dlús lena shaothar chun daoine gan teach a athlonnú, agus bhí lámh an-mhór aige i mbunú eagraíocht na carthanachta iarchogaidh *Caritas Internationalis*.

Anuas ar an obair seo uile a bhain go díreach nó go hindíreach leis an Dara Cogadh Domhanda agus na fadhbanna a d'eascair as, choinnigh Montini spéis mhór i ngnoithí sóisialta. Chuidigh sé, mar shampla, le *Associazioni Cristiane dei Lavoratori Italiani* (Cumainn Chríostaí na nOibrithe Iodálacha), a raibh an pápa Pius XII go mór i bhfách leo roimhe, a chur ar bun.

Mar a chonaic muid thuas, bhí Angelo Roncalli ina nuinteas sa Fhrainc agus an Cogadh Mór ag tarraingt chun deiridh, agus ba thríd a chuir Montini eolas ar ghluaiseachtaí sóisialta a bhí ar bun sa tír sin, ar nós *Renouveau catholique* ('Athnuachan caitliceach') agus *Mission de France* ('Misean na Fraince'). Chuir sé an-shuim iontu agus ina gcuid oibre. Gluaiseacht eile ar thug Roncalli cuid mhaith eolais fúithi dó ab ea gluaiseacht na sagart-oibrithe, agus thug Montini ar a sheal lán tacaíochta don ghluaiseacht shamhlaíoch, spreagúil úd, ainneoin go raibh lear mór dá chomhghleacaithe sa rúnaíocht stáit – agus sa *Curia* – go mór ina coinne. Níor leasc le Montini seasamh ar a bhonnaí féin agus tacú le heagraíocht fhorásach a bhí ag saothrú go fuinniúil leis an caitliceachas a thabhairt ar ais ó bhruach na huaighe. Níl aon amhras, áfach, ná gur chuir an spéis a bhí aige sna gluaiseachtaí Francacha seo (agus a thacaíocht dóibh) baill áirithe den *Curia* ina éadan, agus a chinntigh nach ndéanfaí cairdinéal de ar ball, mar a fheicfidh muid thíos.

Ba é an Monsignor Montini, ina aonar nach mó, a d'eagraigh Bliain Naofa 1950 agus Bliain Mhuire 1954 sa Róimh, dhá éacht a thug le fios don saol – ach a raibh na baill áirithe chéanna den *Curia* dall orthu, ní foláir – a ardchumas eagraithe, agus a chinntigh i ndeireadh na dála go rachadh sé chun cinn agus fiú go barr dréimire na hEaglaise dá míle ainneoin.

Is cosúil, os a choinne sin, gur dhiúltaigh sé ar ócáid amháin glacadh le 'hata dearg' an chairdinéil. Chuir an pápa Pius XII in iúl do thionól rúnda cairdinéal ar 29 Samhain 1952 go raibh sé ar intinn aige cairdinéal a dhéanamh de Montini, agus de Domenico Tardini chomh maith, ach gur impigh siad beirt air gan an gradam sin a thabhairt dóibh. Is féidir gur theastaigh ón phápa buíochas a ghabháil leo beirt ag an am as a saothar in eagrú na Bliana Naofa. Ar scor ar bith, chomh fada siar le 1937, deineadh leasrúnaithe stáit den bheirt acu – Montini sa roinn gnóthaí Iodálacha, Tardini sa roinn gnóthaí eachtracha – agus i ndiaidh thart ar scór bliain de shárobair ba mhaith a bheadh gradam cairdinéil tuillte acu. Bheadh orthu fanacht tamall eile, áfach, nó go mbeadh an Pápa Eoin XXIII i gcoróin, sula mbronnfaí an gradam sin orthu.

Ina ardeaspag

Nuair a fuair ardeaspag Milano, an cairdinéal Alfredo Ildefonso Schuster, bás sa bhliain 1954, bhí comharba le hainmniú don deoise ollmhór sin, a raibh cuid mhaith fadhbanna éagsúla agus deacrachtaí den uile chineál an uair sin ag baint léi. Mar shampla, bhí an-dochar déanta ag na buamaí d'anchuid tithe pobail agus séipéal ar fud na fairche, agus de bharr an imirce a tharla mar thoradh ar na trioblóidí a lean an cogadh bhí daonra na deoise ag fás go mór agus síorghá dá bharr sin le tuilleadh paróistí agus tithe pobail nua a chur af fáil.

Cuireadh ionadh ar a lán Caitlicigh san Iodáil, idir chléir agus thuataí, nuair a cheap an pápa an monsignor Montini mar ardeaspag ar dheoise Milano ar Lá Samhna 1954. Ní hé gur shíl siad é bheith ar easpa chumas eagraithe, ach ba mhaith a thuig siad an tsláinte a bheith go dona aige riamh anall, rud a chiallódh go dtabharfadh cúram dheoise mhór Milano lán a léine dó. Ach, d'ainneoin amhras na ndaoine seo, rinne an cairdinéal Tisserant an Monsignor Montini a choisreacan i mBaisleac Naomh Peadar na Róimhe ar 12 Nollaig 1954 agus ghlac an t-ardeaspag úr seilbh ar a dheoise i Mí Eanáir 1955.

Ba ghnách, le cuimhne na ndaoine, gradam cairdinéil bheith ag ardeaspag Milano, ach mar a chonaic muid, bhí nimh san fheoil ag baill áirithe den *Curia* do Montini agus d'éirigh leo á áiteamh ar a Naofacht, Pius XII, an gradam sin a dhiúltú dó. Ba é an monsignor Montini mar sin an chéad ardeaspag ar dheoise Milano le corradh is 600 bliana nach raibh an 'hata dearg' aige. Níorbh fhada, áfach, go raibh sé ag bréagnú na ndaoine úd a chreid nach mbeadh sé in inmhe deoise mhór a stiúradh. Cé nach raibh sé i ndán dó ach ocht mbliana go leith a chaitheamh sa phost, d'éirigh leis, sa tréimhse measartha gairid sin, 72 tithe pobail agus 32 shéipéal a thógáil nó bail a chur orthu, agus bhí 19 gcinn eile á dtógáil faoin am a raibh sé ag filleadh chun na Róimhe ina chomharba ar Eoin XXIII. Chomh maith leis an obair thógála sin uilig, bhunaigh an t-ardeaspag Montini roinnt mhaith paróistí úrnua, agus roinn suas cuid mhaith seanpharóistí. Chuir sé tús le feachtas tréadach inar thug sé faoi chuairt a thabhairt ar an uile pharóiste ina ardfhairche, agus faoi cheann na bliana 1963, agus é ar tí bogadh ar ais chun na hardchathrach, bhí cuairt tugtha aige ar 694 díobh. Ní raibh caill air sin ag fear a measadh nach mbeadh ar a chumas Milano a stiúradh.

Ina phápa dó: Vatacáin II faoi lán seoil arís

Ar bhás an phápa Eoin XXIII, bhíothas den tuairim go dtiocfadh an t-ardeaspag Montini i gcomharbacht air, ach amháin nár chairdinéal é agus nach mbeadh sé de chead aige freastal ar an tionól a thoghfadh an pápa úr. B'é an fear deireanach, dála an scéil, a ndearnadh pápa de ainneoin nár chairdinéal é ná Urban VI, a toghadh sa bhliain 1378. Ar theacht i gceann a chéile don tionól, bhí a lán de na cairdinéil i bhfabhar Montini, siúd is go raibh corradh le scór acu, ar choimeádaigh iad, den tuairim nach raibh seisean baol ar bheith coimeádach go leor. Dá ainneoin sin, ar 21 Meitheamh 1963, toghadh Montini ar an séú crannchur agus, mar shop do na coimeádaigh, ba é a chéad ghníomh mar phápa ná an cairdinéal Amleto Cicognani a dheimhniú ina phost mar rúnaí stáit.

Roghnaigh Montini an t-ainm 'Pól' le cur in iúl go raibh faoi bheith ina aspal do dhomhan nua-aoiseach a linne, mar a bhí Naomh Pól do dhomhan a linne féin.

Cé go raibh Montini measartha patuar faoi Chomhairle Vatacáin II go ginearálta agus faoin chéad seisiún go háirithe, gheall sé go leanfadh sé den Chomhairle mar sin féin. Ní hé amháin sin ach mhaígh sé, gan fiacail a chur ann, go raibh sé go tréan ar son *agenda* an Phápa Eoin XXIII a chur i gcrích. Sular tionóladh dara seisiún na Comhairle, chuir Pól VI leagan leasaithe den *Ordo Concilii* (clár oibre na Comhairle) amach. Bhí oifig rúnaíochta ann chun déileáil le gnóthaí nach raibh ar an *agenda,* agus chuir sé sin ar ceal i dtús báire. Mhéadaigh sé líon bhord na n-uachtarán le cinntiú go leanfaí den chlár oibre mar ba chóir. Cheap sé ceathrar cairdinéal a d'fheidhmeodh mar mhodhnóirí; agus rinne sé maolú ar riail na rúndachta, ag fógairt san am céanna go gceadódh sé do roinnt tuataí freastal ar an Chomhairle.

Tháinig na haithreacha i gceann a chéile ar 29 Meán Fómhair 1963 don dara seisiún mar sin – an chéad seisiún a reachtáladh faoina *aegis* féin. Agus é ag teacht isteach i mBaisleac Naomh Peadar don oscailt oifigiúil, d'fhág an pápa an *sedia gestatoria*, a raibh a oiread sin gráine ag Eoin XXIII uirthi, i leataobh ag doras na baislice gur shiúil suas chun an tsanctóra agus gnáth-mhítéar easpaig ar a cheann, in ionad an tiara ba nós le pápa a chaitheamh, agus gan rian dá laghad de phoimp le sonrú ar an ócáid. An nós ar chuir Eoin XXIII tús leis, bhí Pól VI ag leanúint de.

Thug an pápa aitheasc uaidh inar chuir sé i bhfocail ceithre chuspóir na Comhairle. B'iad sin (a) an Eaglais a shainmhíniú, nó a dheifnidiú, ní b'iomláine, go háirithe sa mhéid agus a bhain le hionad na n-easpag inti, agus le coláistiúlacht na n-easpag (b) an Eaglais a athnuachan (c) Críostaithe uilig an domhain a athaontú le chéile; d'iarr an pápa maithiúnas ar Chríostaithe nár Chaitlicigh iad as ucht a ndearna an Eaglais chun an scoilt eatarthu a chothú, agus (d) tús a chur le dialóg idir an Eaglais agus daoine comhaimseartha.

Glacadh leis an mBunreacht ar an Liotúirge agus an Forógra ar na Meáin Chumarsáide, ach taobh amuigh díobh sin ba bheag a cuireadh i gcrích ag an dara seisiún sin, ar chuir Pól VI clabhsúr oifigiúil air ar 4 Nollaig 1963. Os a choinne sin, chinn an pápa go ndéanfaí an obair a luathú ag an chéad seisiún eile. Chuir sé iontas an domhain ar na heaspaig nuair a thug sé le fios go raibh rún aige cuairt a thabhairt ar an Talamh Naofa i mí Eanáir na bliana dár gcionn, rud a mheall bualadh bos croíúil uathu. Tráchtfar thíos ar an chéad turas stairiúil sin ar an tír inar tháinig Íosa Críost chun an tsaoil.

Rinneadh Tríú Seisiún Vatacáin II a oscailt ar 14 Meán Fómhair 1964. Seachtain tar éis tús an tseisiúin, thug Pól VI aitheasc don *Curia* inar thug sé rabhadh dóibh go raibh athruithe beartaithe aige agus d'agair sé baill uile an *Curia* amharc go fabhrach ar an Chomhairle, ainneoin na n-il-lochtanna a chonacthas dóibh bheith uirthi.

Go luath sa seisiún, tharla easaontas de bharr gur socraíodh vóta ar théama shaoirse an chreidimh a chur siar go dtí an ceathrú seisiún. Bhí cuid de na haithreacha cinnte dearfa de go raibh cleas suarach á imirt anseo ag coimeádaigh an *Curia*, agus go raibh an pápa páirteach ann, go mórmhór ó dhiúltaigh sé glan a ladar a chur isteach sa scéal beag ná mór, ach ní móide go gcuideodh Pól VI lena 'naimhde' i bhfeachtas dá leithéid.

Rinneadh an Bunreacht ar an Eaglais, na Forógraí ar an Éacúiméineachas agus Eaglaisí Caitliceacha an Oirthir a chríochnú roimh dhúnadh an tseisiúin. Cuireadh nóta mínithe leis an mBunreacht ó láimh an phápa faoi choláistiúlacht na n-easpag; bhí sé tar éis litir aspalda, *Pastorale Munus,* ar an ábhar a eisiúint 30 Samhain 1963, go gairid i ndiaidh dhúnadh an dara seisiúin. Rud eile de, d'ainmnigh an pápa Muire ina Máthair ar an Eaglais, bíodh is go raibh lear aithreacha in aghaidh an teideal sin a bhronnadh ar Mháthair Íosa (as siocair go bhféadfadh a leithéid dochar a dhéanamh don éacúiméineachas). Roimh dhúnadh an tseisiúin go hoifigiúil dó, rinne Pól VI an t-aifreann a chomhcheiliúradh in éineacht le 24 prealáid eile, faoi mar a rinne sé ag tús an tseisiúin.

Osclaíodh an Ceathrú Seisiún – an ceann deireanach – ar 14 Meán Fómhair 1965. Ba le linn an tseisiúin seo a ghlac an pápa de láimh córas úrnua a thionscnamh i riaradh na hEaglaise, d'fhonn coláistiúlacht na n-easpag a chur in iúl ar mhodh praiticiúil, éifeachtach. Rinne sé seo trí bhuan-sionad easpag a chruthú a thiocfadh i gceann a chéile go tráthrialta chun ábhar réamhshocraithe éigin a phlé agus a mbeadh cumhachtaí díospóireachta agus comhairleacha aige. Ba sa bhunreacht aspalda *Apostolica Sollicitudo* (15 Meán Fómhair 1965) a leag Pól VI síos na normanna lena ndéanfaí an sionad a stiúradh.

Ar 28 Deireadh Fómhair 1965, síníodh na Forógraí ar Oifig Thréadach na nEaspag, ar Athnuachan na Beatha Crábhaidh, ar Mhúnlú Sagart, agus Ráitis ar an Oideachas Críostaí, agus ar Chaidreamh na hEaglaise le Reiligiúin Neamhchríostaí. Ar 18 Samhain, síníodh Bunreacht Dogmach ar an Fhoilsiú Dhiaga agus Forógra ar Aspalacht na dTuataí. Fógraíodh freisin tús le Leasú ar an *Curia* (ar thug Pól VI leid faoi ag tús an tríú seisiún, mar a chonaic muid thuas), agus chuir an pápa in iúl go raibh tús á chur aige le próiseas canónaithe a bheirt réamhtheachtaí, Pius XII agus Eoin XXIII. Reachtáladh seirbhís urnaí (nó *sacra celebratio,* mar a tugadh uirthi) ar 4 Nollaig, d'fhonn aontacht i measc Críostaithe a chothú agus a neartú, in Eaglais San Paolo fuori le Mura ag a raibh dornán maith de thoscaireachtaí na Comhairle i láthair.

Ar 7 Nollaig, rinneadh an Ráiteas ar Shaoirse an Chreidimh (a raibh achrann faoina mhoilliú le linn an treas seisiún, mar a chonaic muid thuas), an Bunreacht Tréadach ar an Eaglais i

Saol an Lae Inniu agus na Forógraí ar Mhinistreacht agus Saol na Sagart agus ar Shaothar Mhiseanach na hEaglaise a eisiúint. Léigh Pól VI aifreann d'aithreacha na Comhairle an lá céanna sin agus d'fhógair clabhsúr oifigiúil ar Chomhairle Vatacáin II an lá dár gcionn, Lá Fhéile Ghineadh gan Smál na Maighdine Muire. An lá ina dhiaidh sin, dhearbhaigh sé Forógraí uile na Comhairle agus d'fhógair go gceiliúrfaí iubhaile neamhghnách idir Lá Caille agus 29 Bealtaine 1966. B'in mar a cuireadh deireadh leis an tionscnamh samhlaíoch seo, a d'fhabhraigh i dtús báire in aigne Eoin XXIII agus a raibh sé de mhisneach ag a chomharba Pól VI a chur i gcrích. Cé nár mhair sí chomh fada le Comhairle Thrionta, a mhair ó 1545 go 1563, mhair sí ní b'fhaide ná Vatacáin I (1869-1870) a mb'éigean deireadh tobann a chur léi de bharr imeachtaí corraitheacha na bliana 1870.

Thug Pól VI go diongbháilte faoi chinnidh Vatacáin II a chur i bhfeidhm, agus d'éirigh leis sin a dhéanamh ar dhóigh an-siosmaideach cliste, ionas gur sheachain sé contúirt na scoilte a bhí ag bagairt mura dtabharfaí go stuama faoi. Chuir sé mórán coimisiún ar bun chun gnéithe éagsúla na Comhairle a chur i bhfeidhm, mar shampla na coimisiúin ar an Oifig Dhiaga, an Leicseanáir, Ord an Aifrinn, an Ceol Eaglasta, an Dlí Canónda. Le dúthracht thar barr, agus gan loiceadh dá laghad, chuir sé úsáid teanga an phobail i bhfeidhm sa liotúirge fosta.

A chuairt ar an Talamh Naofa agus turais eile

Mar atá feicthe againn cheana, chuir Pól VI in iúl d'aithreacha na comhairle ag deireadh an dara seisiún go raibh rún aige cuairt a thabhairt ar an Talamh Naofa, rud a rinne sé ó 4 go dtí 6 Eanáir 1964. Agus é i Iarúsailéim bhuail sé le hAthenagoras I, patrarc Chathair Chonstaintín. B'é an chéad uair a bhuail pápa agus patrarc le chéile go hoifigiúil ón bhliain 1054 ar aghaidh. Ba sa bhliain úd, dar ndóigh, a tharla an scoilt thubaisteach idir an Eaglais san Iarthar agus an Eaglais san Oirthear. Bhronn Pól VI cailís ar Athenagoras I agus thug seisean slabhra brollaigh mar bhronntanas don phápa. Rinneadh malartú eile bronntanas nuair a bhuail Pól VI le

Hussein, Rí na Iordáine, a bhí i gceannas ar an 'Bhruach Thiar' ag an am (agus a bheadh go dtí cogadh na bliana 1967). Bhronn an pápa clog luachmhar de chuid an 18ú haois ar an Rí Hussein, maille le leictreacardagram le húsáid in ospidéal de chuid na tíre, agus bhronn an Rí plaic a rinneadh as adhmad na gcrann olóige i nGethsemani ar Phól VI.

Léiríonn sin go raibh Pól VI tugtha do shiombail, rud a thaispeáin sé arís eile agus é ag filleadh ar an Róimh. Thaistil sé isteach chun na cathrach ar an seanbhealach Rómhánach úd an Via Appia, as siocair gur ar an mbóthar sin, más fíor don seanscéal, a bhuail ár Slánaitheoir le Peadar agus é ag teitheadh ó ghéarleanúint sa chathair. D'fhiafraigh Naomh Peadar d'Íosa "Quo Vadis?" ('Cá bhfuil do thriall?') agus d'fhreagair Críost "Chun na Róimhe le bás a fháil i d'áitse" - rud a thug ar Pheadar tiontú ar ais go gasta chun na cathrach. Ní foláir nó go raibh an scéal cáiliúil sin in aigne Phóil VI nuair a roghnaigh sé an tslí sin isteach chun na Róimhe.

Siúd is go ndearna an pápa Eoin XXIII beagán taistil i bhfarradh is a réamhtheachtaithe, nár bhog amach as an Vatacáin ar chor ar bith, ba é Pól VI an chéad phápa riamh a thaistil ar eitleán, agus ó tharla ar an téad sin muid, tá sé chomh maith againn trácht ar na turais eile a rinne sé. Sula ndearnadh pápa de, thug sé cuairt ghearr ar Stáit Aontaithe Mheiriceá sa bhliain 1951, agus cuairt ní b'fhaide i mí Mheithimh na bliana 1960, tráth ar bronnadh céim oinigh air in Ollscoil Notre Dame. In earrach na bliana dár gcionn, thug sé cuairt ar Éirinn, agus ní foláir nó gur cuimhin go fóill leis na mílte Éireannaigh an grianghraf a glacadh de ag phríomhdhoras Choláiste Phádraig, Maigh Nuad, ar an ócáid sin. Bliain ina dhiaidh sin arís (1962), thug sé cuairt ar mhór-roinn na hAfraice – ar an Róidéis Theas (Zimbabwe an lae inniu), ar an Nigéir agus ar Ghána.

Tar éis a thofa ina phápa, thug sé an chuairt úd ar an Talamh Naofa agus, go gairid i ndiaidh dhúnadh tríú seisiún Vatacáin II, thug sé aghaidh ar Boimbé na hIndia, mar a raibh Comhdháil Eocairisteach ar siúl. Le linn cheathrú seisiún na Comhairle, ar 4 Deireadh Fómhair, d'eitil sé go Nua Eabhrac, mar ar chaith sé lá éachtach. Thug sé aitheasc uaidh i dtús báire i gceannáras Eagraíocht na Náisiún Aontaithe inar phléideáil sé ar son na síochána ar fud an domhain, agus roimh filleadh ar ais chun na Róimhe dó, léigh sé Aifreann Pointifiúil i Staid na bPoncánach os comhair slua ollmhór fíréan.

Chuaigh sé ar oilithreacht go Fatima na Portaingéile i mí na Bealtaine 1967 d'fhonn impí ar an Mhaighdean Mhuire go gcuirfí an tsíocháin i réim ar fud an domhain. I Meitheamh/Iúil 1969 bhí sé ar ais san Afraic, in Uganda an iarraidh seo, chun ómós a thabhairt do mhairtírigh na tíre sin a raibh sé i ndiaidh a n-ainmniú ina naoimh. Bliain ina dhiaidh sin arís, in Aibreán 1970, thaistil sé chun na Sairdíne le Muire Bonaria a cheiliúradh. Le linn a chuairt ar an Chianoirthear i Samhain/Nollaig na bliana céanna sin, ba ar éigean a thug Pól VI an t-anam leis i Manila, áit ar ndearnadh iarracht é a dhúnmharú. Shoilsigh an taisteal uilig sin, áfach, an bealach dá chomharba Eoin Pól II, a bhfuil na milliúin de mhílte turais déanta aige ar a sheal cheana féin.

An Liotúirge agus an tÉacúiméineachas

Bhí croí an phápa Pól VI san éacúiméineachas agus sa liotúirge, agus rinne sé an-obair len iad a fhorbairt. Rinne sé cion fir leis an liotúirge a athnuachan. Chonaic muid cheana cé chomh díograiseach is a bhí sé ag cur teanga an phobail in úsáid i ndeasghnátha na hEaglaise. Le linn dara seisiún na Comhairle, mar shampla, ar 22 Samhain 1963, chuir sé an Cumann Idirnáisiúnta um Cheol Eaglasta ar bun, á lonnú sa Róimh. Tháinig litir aspalda óna pheann ar 25 Eanáir 1964 (*Sacram liturgiam*) trínar bhunaigh sé coimisiún ar leith chun an Bunreacht ar an Liotúirge a chur i bhfeidhm. Agus ar 1 Samhain 1964 laghdaigh sé go huair an chloig an troscadh réamhchomaoineach.

Maidir le ceist an éacuiméineachais, a raibh suim thar na bearta aige inti, is iomaí sin gníomh a rinne Pól VI agus é i gcumhacht chun an caidreamh le creidimh eile a fheabhsú, go mór mór le brainsí éagsúla na hEaglaise Ceartchreidmhí. Ag an Aifreann a ceiliúradh i mBaisleac Pheadair roimh dhúnadh sheisiún deiridh Chomhairle Vatacáin II (7 Nollaig 1965) léigh an pápa amach ráiteas, sínithe aige fein agus ag an patrarc Athenagoras I, ag cur in iúl go mba thrua leo beirt na focail cháinte a thug ionadaithe eaglaisí an iarthair agus an oirthir uathu i gcoinne a chéile i gCathair Chonstaintín sa bhliain 1054 – agus an siosma a d'eascair astu.

Domhnach Cincíse na bliana roimhe sin, ar 17 Bealtaine 1964, d'fhógair Pól VI go raibh Rúnaíocht na Neamhchríostaithe á cur ar bun aige chun caidreamh idir an Eaglais agus chreidmhigh nár Chríostaithe iad a éascú, agus ar 8 Aibreán 1965, bunaíodh rúnaíocht eile faoina choimirce do dhaoine nár chreid i nDia beag ná mór, le staidéar a dhéanamh ar an aindiachas agus ar na nithe ba chúis leis.

Ar fhilleadh ón Talamh Naofa dó sa bhliain 1964 sheol an pápa toscairí go hIostanbúl chun póg síochána an phatrairc, Athenagoras I, ar chnoc na nOlóg i Iarúsailéim a aisíoc, agus chuir sé ionadaí pearsanta chun na Rúise freisin le lá fhéile Alexei I, patrarc Mhoscó, a chomóradh. Sa chomhthéacs sin is cúis díomua é go bhfuil patrarc Mhoscó ár linne, Alexei II ar teann a dhíchill agus seo á scríobh (Lá Caille 2001) ag iarraidh comharba Phóil VI, an pápa Eoin Pól II, a choinneáil amach as an Rúis.

D'fháiltigh an pápa roimh bheirt toscaire speisialta a chuir Athenagoras I chuige, ar 15 Feabhra 1965, le tuairisc a thabhairt dó ar chomhdháil a reachtáladh i Rhodes ar théama an chaidrimh leis an Eaglais Chaitliceach. Chuir Pól VI in iúl dóibh gur mhór an sásamh a thug moltaí na comhdhála dó. Bhuail sé féin go pearsanta le Athenagoras I faoi dhó arís, an chéad uair in Iostanbúl ar 25 Iúil 1967 agus an dara huair sa Róimh ar 26 Deireadh Fómhair 1967. Ar 26 Meán Fomhair 1964, ag fíorthús thríú seisiún na Comhairle, rinne an pápa beart eile chun a dhea-thoil i leith cheartchreidmhigh a léiriú, nuair a sheol sé toscairí go Pátras, faoi cheannas an chairdinéil Augustine Bea, chun cloigeann an Aspail Aindrias, a bhí i seilbh phápa na Róimhe ó 1462 i leith a thabhairt ar ais. Thuill sin buíochas na gceartchreidmheach do Phól VI. Samplaí eile is ea na gníomhartha a rinne an pápa éacúiméineach seo agus é ag smaoineamh ar an tábhacht a bhí le siombail.

Ní dhearna Pól VI leithcheal ar na Protastúnaigh ach oiread, cé gur mhó a spéis in eaglaisí an oirthir. Ag a gcruinniú in Enugu na Nigéire (12-21 Eanáir 1968), mhol coiste láir Chomhairle Dhomhanda na nEaglaisí go mba chóir féachaint le cairdeas a chothú idir iad féin agus an Eaglais Chaitliceach. Ar an ábhar sin sheol an pápa an cairdinéal Bea chuig cheanncheathrú na Comhairle sa Ghinéiv chun a chur in iúl dóibh go raibh an Vatacáin fabhrach don mholadh sin. Sa bhliain 1966, ar 24 Márta, d'fháiltigh Pól VI roimh Michael Ramsey, ardeaspag Canterbury, sa Róimh. Faoi Aibreán na bliana 1977, bhí ardeaspag úr i gCanterbury, Donald Coggan, agus d'fhógair seisean agus Pól VI an mhí sin go saothródh siad beirt go dian, díograiseach ar son athaontú na hEaglaise.

Os a choinne sin uile, áfach, thugadh an Pápa foláireamh do Chaitlicigh go mion minic gan teagasc na hEaglaise a mhaolú ar dhóigh ar bith agus iad i mbun chaidreamh lena gcomhchríostaithe.

Imlitreacha a d'eisigh Pól VI, agus imeachtaí eile

San imlitir cháiliúil *Ecclesiam suam* a d'eisigh sé ar 6 Lúnasa 1964 rinne Pól VI roinnt pointí teagaisc agus cleachtais i riaradh na hEaglaise a shoiléiriú, agus i *Mysterium fidei* a tháinig amach ar 3 Meán Fómhair 1965, rinne sé cur síos soiléir soléite ar theagasc traidisiúnta na hEaglaise ar an Eocairist, ach ag an am céanna réitigh sé an bealach don athleasú sa liotúirge a bhí ar na bacáin ag an am.

Tháinig *Populorum progressio* óna pheann ar 26 Márta 1967 agus achainí ó chroí inti go gcothófaí agus go neartófaí an chóir shóisialta ar fud an domhain. Ní b'fhaide anonn sa bhliain sin, ar 24 Meitheamh 1967, foilsíodh *Sacerdotalis coelibatus*, inar dhearbhaigh an pápa an gá atá le haontumhacht na cléire. I

Matrimonia mixta, a eisíodh 31 Márta 1970, mhaolaigh Pól VI
na rialacha a bhain le póstaí measctha beagán, ach is tearc
duine i measc ár gcomhbhráithre neamhchaitliceacha a bhí ar
dhóigh ar bith sásta leis na hathruithe a rinne sé ansin.

Murar tógadh mórán conspóide faoi na himlitreacha thuas, a
mhalairt ar fad a tharla i gcás *Humanae vitae,* an imlitir is mó a
chuaigh i gcion ar daoine ar dhóigh amháin nó ar dhóigh eile.
Foilsíodh í ar 24 Meitheamh 1967, dhá bhliain roimh
Matrimonia mixta a luamar thuas. Bhí lear Caitlicigh i dtíortha
éagsúla, ach go háirithe ins na Stáit Aontaithe, ag súil ag an am
go ndéanfadh an Eaglais a teagasc maidir le frithghiniúint
tacair a athrú, ach chuir *Humanae vitae* deireadh leis an dóchas
sin. Mar is eol don saol mór anois, cháin an pápa an
fhrithghiniúint tacair agus na modhanna éagsúla len í a
chleachtadh, agus d'fhógair nach raibh ceadaithe ach 'modh na
rithime'. Chuir Pól VI ionadh ar a lán as an imlitir seo a
eisiúint, go mórmhór ós rud é go raibh formhór bhaill an
Choimisiún Phointifiúil, a bunaíodh i 1963 chun an cheist seo
a iniúchadh, i bhfabhar an fhrithghiniúint tacair a cheadú i
gcásanna áirithe.

An chonspóid agus an t-easaontas a d'eascair as an imlitir seo,
go fiú i measc na bhfíréan, chuir siad as go mór do Pól VI,
agus bhain siad cuid mhaith den fhuinneamh as. Níorbh é an
fear céanna feasta é, de réir na ndaoine uilig a bhí i dteagmháil
leis. Baineadh siar as níos mó fós nuair a cháin Comhdháil na
hEaglaise Anglacánaí i Lambeth *Humanae vitae,* mar is
amhlaidh a bhí an pápa den bharúil gur aige a bhí an ceart, agus
níor athraigh sé a intinn ar an ábhar seo go lá a bháis. Bhí mar
a bheadh scáil dhubh titithe anuas ar a shaol ón am sin ar
aghaidh, agus chonacthas do dhaoine gur ag cúbadh agus ag
conladh chuige féin a bhí sé as sin amach.

Cúpla focal anois faoi nithe eile a rinne sé sular thit an scáil
dhíobhálach úd anuas air. Thionscnaigh sé coimisiún
pointifiúil do na meáin chumarsáide i litir aspalda dár dáta 2
Aibreán 1964 (*In fructibus multis*). Ag tagairt don bhuan-sionad
a chuir sé ar bun le linn cheathrú seisiún Vatacáin II, is fiú

ábhar na sionad éagsúla a thionól Pól VI a lua. An tsagartacht a bhí mar ábhar pléite ag an chéad cheann sa bhliain 1971; an tsoiscéalaíocht a pléadh i sionad 1974, agus an *catechesis* an t-ábhar díospóireachta a bhí ag sionad na bliana 1977.

Rud eile a rinne an Pápa Pól VI ná Coláiste na gcairdinéal a mhéadú. Bhí ceithre scór ball ann ar theacht i gcoróin dó, ach faoin bhliain 1976 méadaíodh an bhallraíocht go 138 agus gan ach mionlach an-bheag acu sin ina nIodálaigh. B'inmholta an ní é gurbh as an Tríú Domhan do cuid mhaith de bhaill úra an Choláiste. D'fhógair sé go mba chóir do shagairt agus d'easpaig dul amach ar phinsean ag aois a 75 bliain, nó ar a laghad bheith toilteanach éirí as obair dá n-iarrfaí sin orthu.

Deireadh

Níorbh fhear sotalach ná éisealach é riamh Giovanni Battista Montini, ach fear séimh soghonta a raibh dúil aige sa léann agus sna leabhair. Uair ar bith a bhogadh sé ó ionad go hionad, bhíodh a nócha ciseán mhóra lán de leabhair ina chuideachta. Rinne sé laghdú ar phoimp agus mustar na pápachta. Chonaic muid mar a chuir sé an *sedia gestatoria* ar ceal i dtús a réime, agus ní hé amháin gur dhiúltaigh sé tiara an phápa a chaitheamh ach is amhlaidh a dhíol sé an ceann a bronnadh air ar ócáid a insealbhaithe agus gur bhronn an t-airgead ar na bochtáin. B'fhíor *servus servorum Dei* ('searbhónta searbhóntaí Dé') é.

Amach ón droim dubhach inar thit sé de bharr an easaontais a d'eascair as *Humanae vitae,* bhí nithe eile a chuir as go mór dó i ndeireadh a shaoil is a laetha, mar shampla an teannas san Eaglais féin – daoine i gcoinne theagasc *Humanae vitae,* ar ndóigh, daoine i gcoinne aontumhacht na cléire, daoine in éadan na n-athruithe a thug Vatacáin II isteach, ar nós an ardeaspag Marcel Lefebvre a bhunaigh 'eaglais' dá chuid féin sa Fhrainc (a d'fhéadfadh tús a chur le siosma eile san Eaglais) agus nithe eile nach iad. Bhí sé ina ráfla, chomh fada siar leis an bhliain 1974 fiú, go raibh fonn ar Pól VI éirí as oifig mar gheall ar a bhuartha a bhí sé faoi ábhair chonspóideacha éagsúla – rud nach ndearna pápa ar bith ón bhliain 1294, nuair a chinn Celestine V filleadh ar an mhainistir tar éis cúig mhí a chaitheamh ina phápa.

Ach, os cionn gach ní eile, ba í an sceimhlitheoireacht idirnáisiúnta, a bhí ag éirí thar a bheith coitianta sna seachtóidí, ba mhó a ghoill ar an phápa. Tharla eachtra i mbliain dheiridh a shaoil a bhain preab uafásach as. Rinneadh a chara saoil, Aldo Moro – státaire Iodáileach den chéad scoth, ball de Pháirtí na nDaonlathaithe Críostúla, agus fear a raibh clú idirnáisiúnta air – a fhuadach agus a fheallmharú i mí Bhealtaine 1978. Ba é Pól VI an príomh-cheiliúraí ag a thórramh i mBaisleac Naomh Eoin na Lataráine – an ócáid phoiblí dheireanach ag a bhfacthas é.

Bhuail an t-airtríteas an Pápa i mblianta deiridh a shaoil, agus cistíteas géar a rinne an t-airtríteas ní ba mheasa agus a chuir go mór leis na pianta a bhaineann leis an aicíd, agus dá bharr seo uile, is dócha, bhuail taom croí é go gairid ina dhiaidh sin. Shíothlaigh Giovanni Battista Montini – Pól VI – 'céad phápa na nua-ré', mar a tugadh air, ar 6 Lúnasa 1978, agus an tAifreann á cheiliúradh ina sheomra i dteach samhraidh Castel Gandolfo.

EOIN PÓL I 1978

Réamhrá

Níor mhair Albino Luciani (Eoin Pól I) ach 33 lá i gCathaoir
Pheadair. Níorbh eisean, áfach, an pápa ba ghiorra ré i stair na
pápachta. Thiar sa bhliain 752, níor mhair an pápa Stiofán II
ach ceithre lá mar phápa, agus ar an ábhar sin ní áirítear é i
gcónaí ar liosta na bpápaí, is é sin le rá go bhfágann staraithe
áirithe a ainm ar lár. Seacht gcéad go leith bliain ina dhiaidh sin,
sa bhliain 1503, toghadh Pius III ina phápa, ach ní raibh sé
daite dó siúd ach 27 lá a chaitheamh i réim. Leathchéad bliain
ina dhiaidh sin arís, thit sé ar chrann Marcellus II bheith i
gcumhacht ach níor mhair a réimeas siúd ach 23 lá. Agus cúig

bliana is triocha ní b'fhaide ar aghaidh, roghnaíodh Urban XXII ina phápa ach i gcionn dhá lá déag bhí seisean ar shlua na marbh. Ní foláir nó gur mhair agus gur éag gach pápa díobh siúd i ngan fhios don saol mór a bheag nó a mhór, is é sin le rá nár cuireadh aithne air a fhad is a bhí sé sa Vatacáin.

I gcás Eoin Pól I de, áfach, leath scéala a bháis ar fud an domhain mar a bheadh an ghaoth Mhárta ann, ó tharla dúil chíocrach bheith ag na meáin chumarsáide in ábhar iontais ar bith. Anuas air sin chomh maith, de thoradh shaothar na meán, bhí eolas forleathan ar an phápa úr scaipthe ar fud an domhain cheana féin agus gnaoi an phobail air, go mórmhór ó tharla aoibh an gháire bheith i dtólamh ar a aghaidh. Go dtí sin bhí na meáin seanchleachta le pápaí a mbíodh cuma iontach sollúnta agus dáiríre orthu (ag fágáil Eoin XXIII, ar ndóigh, as an áireamh).

Saol roimh 1958

Tháinig Albino Luciani chun an tsaoil ar 17 Deireadh Fómhair 1912 i sráidbhaile ar a dtugtaí Forno di Canale ag an am, ach a bhfuil 'Canale d'Agordo' air ón bhliain 1964 i leith. Tá sé suite sna Dolaimítí lastuaidh de Veinéis, gar do bhaile mór Belluno.

Ba d'aicme an lucht oibre tuismitheoirí agus gaolta uile Albino. Ba shaor brící a athair a mb'éigean dó (dála cuid mhaith dár mbunadh féin in Éirinn) obair shéasúrach a lorg thar lear chun é féin agus a chlann a chothú. Is chun na hEilvéise ba ghnách le hathair Albino aghaidh a thabhairt ar lorg oibre ar dtús, ach i ndeireadh báire d'éirigh leis post a fháil i dtionscal na gloine i Murano i murlach Veinéise. Sóisialach go smior ab ea é, dála an chuid eile den chlann, ach dá ainneoin sin, níor chuir sé bac dá laghad ar Albino nuair a chuir seisean in iúl dó, in aois a ocht mbliana, gur mheas sé glaoch chun na sagartachta bheith aige.

Thug Albino aghaidh ar an chliarscoil shóisearach i bhFeltre, láimh lena shráidbhaile dúchais, agus é fós ina thachrán. Ceithre bliana ina dhiaidh sin, sa bhliain 1924, chuaigh sé ar aghaidh go cliarscoil shinsearach na deoise i mBelluno..

Rinneadh sagart d'Albino Luciani ar 7 Iúil 1935 agus é in aois a 23 mbliain. Más fada leat an seal a chaith sé sa chliarscoil shinsearach i mBelluno, cuir san áireamh go mb'éigean dó a sheirbhís mhíleata a dhéanamh i lár na tréimhse sin. Tar éis a oirnithe, cuireadh é chuig an Ollscoil Ghreagórach sa Róimh, agus ba é an t-ábhar tráchtais a roghnaigh sé ansin ná smaointe Antonio Rosmini (1797-1855) ar bhunús an anama. Is inspéise an ní é go mbíodh amhras á chaitheamh ag údaráis na Vatacáine ar chuid de shaothar Rosmini agus go raibh cúpla leabhar dá chuid ar an *Index librorum prohibitorum* (liosta oifigiúil na leabhar toirmiscthe). Ar bhaint a chéim dochtúireachta amach dó, d'fhill Luciani ar a dheoise dhúchais, mar a ndearnadh séiplíneach de sa pharóiste inar rugadh é.

Ar an drochuair tholg sé an eitinn le linn dó bheith ag obair mar shagart chúnta i bhForno di Canale. Thug an tinneas sin caoi dó, áfach, agus é ag teacht chuige féin arís, luí isteach ar an léitheoireacht. Bhí sé i ndán dó leithne agus doimhne a chuid léitheoireachta a léiriú lá ní b'fhaide anonn, mar a fheicfimid thíos. Mhúin sé teagasc críostaí agus ábhair ghinearálta sa cheardscoil áitiúil. I bhfómhar na bliana 1937 ceapadh ina leasreachtaire é ar chliarscoil Belluno, mar ar theagasc sé diagacht dhogmach agus mhorálta, dlí canónda agus ealaín eaglasta.

D'fhan sé sa phost sin go dtí an bhliain 1949, tráth ar cuireadh i mbun oifig chaiticiosmach fhairche Belluno é. De thoradh a shaothair i mbun na gné sin d'obair na deoise d'fhoilsigh sé dhá leabhrán *Catechesi in bricciole* ('Gráinní chaiticiosma') agus *Nuove bricciole di catechetica* ('Gráinní nua chaiticiosma'). Chonacthas iontu sin cuid de leithne a chuid léitheoireachta.

Tugadh cúram breise sa deoise dó sa bhliain 1954 nuair a ceapadh ina bhiocáire ginearálta é. Faoin am seo dá shaol, bhí sé féin agus na Cumannaigh ag réiteach go maith le chéile (tionchar a athar, b'fhéidir), d'ainneoin amhras bheith ag údaráis na Vatacáine ar chaidreamh ar bith dá leithéid.

Ina easpag, ina ardeaspag agus ina chairdinéal

Faoi Nollaig na bliana 1958, bhí an Pápa Eoin XXIII i réim agus sa mhí sin cheap sé Albino Luciani ina easpag ar dheoise Vittorio Veneto, fairche atá suite faoi scáth na nAlp i dtuaisceart na hIodáile, ar imeall abhantrach na Pó – baile mór inar troideadh cath fíochmhar dhá scór bliain roimhe sin i ndeireadh an Chogaidh Mhóir (1918). Rinne an pápa Luciani a choisreacan ina easpag i mBaisleac Pheadair na Róimhe ar 27 Nollaig 1958.

Aisteach go leor, cé gurbh fhollas go raibh ardmheas ag Eoin XXIII ar an easpag úr, is beag lámh a bhí ag Luciani i gComhairle na Vatacáine (Vatacáin II). Bhi sé ag obair sa chúlra ceart go leor, ach b'shin an méid. Os a choinne sin, áfach, is léir gur aontaigh sé le cuspóirí agus le hobair Vatacáin II, óir rinne sé a mhíle dícheall leasúcháin na Comhairle a chur i bhfeidhm i ndeoise Vittorio Veneto. Scaip sé litir thréadach ar pharóistí na fairche inar mhínigh sé go simplí soiléir dá phobal modh oibre agus saothar leasaithe Vatacáin II. Bhunaigh sé comhairle thréadach ina dheoise agus bhí sé sásta glacadh le gach cinneadh dá ndearnadh inti, fiú murar aontaigh sé féin leis.

In agallamh a rinne sé le hiriseoir ní ba mhoille (1969), mhaígh sé gur ghnách leis cúram airgeadais a dheoise a fhágáil i lámha tuataí, mar go mba leor mar chúram d'easpag é, ina thuairim, an soiscéal a chraobhscaoileadh gan bheith á bhuaradh féin le cúrsaí saolta airgeadais.

D'admhaigh an t-easpag Luciani ar ócáid amháin gur dócha gur ina iriseoir a bheadh sé murab ea go ndeachaigh sé le sagartacht. Thagair sé do rud a dúirt an cairdinéal Mercier le hiriseoir tráth, go mbeadh Pól Aspal ina iriseoir dá mba bheo dó sa lá atá inniu ann. "Ní h-ea", ars an t-iriseoir," is ag stiúradh Reuters a bheadh sé." D'fhreagair an cairdinéal nach amháin go mbeadh sé ag stiúradh Reuters ach go mbeadh sé ag iarraidh a sciar d'am teilifíse chomh maith! Luaigh muid cheana na h-aistí a scríobh sé ar an chaiticiosma. D'fhoilsigh sé freisin sraith alt ar *Il Messagero di San Antonio* ('Timire Naomh Antoine') iris chráifeach a fhoilsítí i bPadova uair in aghaidh na míosa. Sna haltanna seo, labhraíodh sé, mar dhea, le pearsana as an litríocht, mar Figaro, Mr Pickwick, Pinocchio, agus mar sin de, nó le húdair mar Chesterton, Dickens, Sir Walter Scott, Mark Twain, mar shampla, agus le pearsana as an stair mar Maria-Teresa na hOstaire. Bailíodh agus foilsíodh na haltanna seo ar ball i bhfoirm leabhair, '*Illustrissimi: lettere di Giovanni Paolo I*' (Nua Eabhrac, 1978). Chuir comhlacht foilsitheoireachta Fount leagan Béarla amach sna hoileáin seo.

Bhí aithne mhaith sna blianta úd ag baill de Chomhdháil Easpaig na hIodáile ar an Easpag Luciani, a raibh ardú céime eile i ndán dó go luath. Ba é an pápa Pól VI a d'ainmnigh Luciani ina ardeaspag (15 Nollaig 1969), nó ina phatrarc, ba chruinne a rá, ar dheoise Veinéise. Bhí pobal na deoise go mór i bhfách le fáilte a chur roimh an bhfear caoin ábalta seo a bhí ag teacht chucu chun an fhairche a stiúradh. Bunaíodh post uasal seo na patrarcachta chomh fad siar leis an bhliain 1451, tráth a raibh Veinéis ina cumhacht neamhspleách inti féin. Ba nós le patrarc úr teacht aníos an *Canal Grande* chun na hardeaglaise agus scuaidrín de ghondalaí agus de bhádaí beaga eile á thionlacan. B'shin mar a tháinig an t-ardeaspag Roncalli isteach ina dheoise tráth a ndearnadh patrarc de siúd sa bhliain 1953. Níor theastaigh ón phatrarc úr, áfach, go mbeadh poimp dá leithéid ag baint leis an ócáid, agus in ionad teacht ar bhád is amhlaidh a shiúil sé chun na hardeaglaise. Ní hé amháin sin, ach ón lá sin ar aghaidh ba nós leis siúl thart faoin chathair, sin nó dul ar rothar tríthi, agus gnáthshútán dubh sagairt á chaitheamh aige. Ní raibh áit ar bith ina chroí ag Albino Luciani don ghalántacht ná don mhór is fiú.

Agus muid ag smaoineamh ar Veinéis, is é a thagann isteach inár n-aigne pictiúr de chanálacha ciúine, de thithe maorga ar an dá thaobh díobh, agus de dhroichid bheaga rómánsúla. Níl ansin ámh ach pictiúr a cruthaíodh do na turasóiri agus a thugann a bhformhór abhaile leo ón chathair ársa seo. Is é fírinne an scéil ná go bhfuil, agus go raibh, cónaí ar fhormhór mhuintir Veinéise i bhfobhaile tionsclaíoch Mestre ar an mhórthír. B'in mar a bhí an scéal i Veinéis in aimsir Luciani fosta. De réir dealraimh rinneadh an chathair a fhorbairt go han-sciobtha sa dóigh is nach raibh an Eaglais in ann go leor scoileanna ná tithe pobail a chur ar fáil de réir mar a bhí daonra na cathrach ag dul i méid. Bhí fadhbanna móra le réiteach láithreach bonn, mar sin, ag an Phatrarc Luciani ar a theacht isteach ina dheoise.

D'ainneoin na ndeacrachtaí go léir a bhí os a chomhair, bhí am ag an ardeaspag úr trí bliana (1972-1975) a chaitheamh ina leasuachtarán ar Chomhdháil Easpaig na hIodáile. Sa bhliain 1971, ghlac Luciani páirt, ar chuireadh ón Phápa Pól VI, i Sionad na nEaspag agus an bhliain dár gcionn rinneadh ball den Chomhthionól um Shacraimintí agus Adhradh Dé de, an chéad bhaint – dá laghad é – a bhí aige leis an *Curia*.

I mí Mheán Fómhair na bliana céanna sin, thug Pól VI cuairt ar dheoise Veinéise agus baineadh stangadh as an phatrarc, lá amháin, nuair a bhain an pápa de a stoil gur chuir thart ar ghuaillí Luciani í. An amhlaidh a bhí tuaileas aige gurbh é Luciani a thiocfadh i gcomharbacht air féin?

Bhí am ag an ardeaspag Luciani fosta feidhmiú mar chathaoirleach ar chúig cinn de chomhdhálacha éacúiméineacha – agus cruinniú de Choimisiún Idirnáisiúnta Anglacánach/Caitliceach Rómhánach (ARCIC, mar a thugtar de ghnáth air) ina measc – a tionóladh i Veinéis sa bhliain 1976. Ba lena linn sin a síníodh an comhráiteas ar an údarás san Eaglais.

Agus é i Veinéis bhog Albino Luciani beagáinín i dtreo na heite deise. Mhaígh sé go poiblí, mar shampla, ainneoin a chaidrimh sna blianta roimhe sin le cumannaigh Belluno, go raibh an cumannachas glan-contrártha leis an chríostaíocht agus nach bhféadfaí iad a chur in oiriúint dá chéile olc ná maith.choíche.

Tamall beag roimhe seo, ar 5 Márta 1973, rinneadh cairdinéal de Luciani agus, tráthúil go leor, ba í an séipéal teidealach sa Róimh a deonaíodh dó ná Eaglais Naomh Marcas i bPiazza Venezia ('Cearnóg Veinéise'), cuid de shean-ambasáid Stát Veinéise fadó.

Ní raibh lá airde, mar a chonaic muid cheana, ag an chairdinéal Luciani ar phoimp eaglasta de short ar bith, ná ar ghalántacht dá laghad. Mhol sé dá chuid sagart paróiste soithí luachmhara agus iarmhais eile nach iad a dhíol, agus an t-airgead a ghnóthófaí orthu a chur ar fáil do bhochtáin na fairche. Thug an cairdinéal an dea-shampla dóibh nuair a dhíol sé gréithe óir de chuid na Patrarcachta ar chorradh le £8,000, airgead a chuir sé ar fáil do chothú páistí míchumasacha. Rud eile de, dhíol sé a chros uchta a bhí faighte aige mar bhronntanas ó Eoin XXIII, agus ar le Pius XII roimhe sin í, ar son na cúise céanna. Chomh maith leis sin, mhol sé, sa bhliain 1971, go dtabharfadh eaglaisí saibhre an iarthair 1% dá dteacht isteach do chiste a thiocfadh i gcabhair ar eaglaisí bochta an Tríú Domhan.

Ní raibh a aird ar fad, áfach, sna blianta sin ar chúrsaí sóisialta, óir scríobh sé alt ar an *Osservatore Romano* ar 23 Eanáir 1974 faoi dhiagairí. Chuir sé ar a súile dóibh gur ar mhaithe le cur chun cinn na hEaglaise agus an tSoiscéil a bhí siad – nó a ba chóir dóibh a bheith – ag saothrú agus ag spíonadh téamaí diagachta, agus nach ar mhaithe lena gcur chun cinn pearsanta féin.

Sa bhliain 1974 freisin, bhí an cairdinéal Luciani ag labhairt amach faoin timpeallacht agus faoi mhí-úsáid mhaoin na cruinne. 'Tá sé de chumhacht ag an duine,' a dúirt sé, 'an domhan a chlaochlú ar mhíle dóigh. Ná baineadh sé feidhm as an chumhacht sin chun dochar agus scrios a dhéanamh ar ar chruthaigh Dia'.

Bhí Luciani coimeádach go maith ag an am ar eisigh an pápa Pól VI a imlitir chlúiteach *Humanae vitae*. Bíodh is gur mhol sé tráth do Phól VI gan ráiteas cinntitheach deifnídeach ar rialachán an tuismidh a chur amach, ní hé amháin gur chosain sé an imlitir go tréan ina dheoise, ach chuir sé cosc ar dhá eagraíocht de mhic léinn a bhí ar theann a ndíchill ag obair ar son dlí úr an cholscartha. Tar éis fheallmharú Aldo Moro sa bhliain 1978 scaip Luciani tréadlitir ar a fhairche inar cháin sé an saol éadrócaireach a bhí ann, saol nach raibh splanc dá laghad de thrua dhaonna ná d'uamhan Dé le fáil ann. Mhol sé do shagairt gan bheith róbhuartha faoi nithe mar ardcháil, ach ina ionad sin sampla Chríost – an Tiarna ceansa, geanmnaí, uiríseal, umhal, bocht – a leanúint ina saol.

Bíodh is go raibh sé ag éirí ní ba choimeádaí agus é i Veinéis, níor mhiste dhá ní eile a lua a thugann leid dúinn nach raibh splanc an raidiceachais múchta fós ann. Bhí sé cáinteach go maith agus labhair sé amach go neamhbhalbh i dtaobh chlaonbhearta Bhanc na Vatacáine a bhí i mbéal an phobail ag an am. Agus nuair a tháinig an scéal amach faoi bhreith an chéad 'leanbh promhadáin' in Oldham, láimh le Manchuin Shasana i mí Iúil 1978, in ionad an scéal a cháineadh, mar a rinne a lán prealáidí eile, is amhlaidh a bhí sé forbhfháilteach leis an leanbh, Louise Brown, á mhaíomh go raibh áthas air páirt a ghlacadh i lúcháir a tuismitheoirí, agus rinne sé iontas den teicneolaíocht úrnua trínar bh'fhéidir an bhreith a thabhairt i gcrích. Ach cé gur léirigh seisean a mhórdhaonnacht sa chás áirithe seo, is amhlaidh a rinne Comhthionól Eaglasta Fhoirceadal an Chreidimh (an 'Oifig Naofa' lá den tsaol) an bhreith a cháineadh.

Ina phápa – gan choinne

Cé nach raibh aithne ar an chairdinéal Luciani taobh amuigh den Iodáil, féadtar a rá, ba eisean a toghadh mar chomharba ar Pól VI ag an tionól cairdinéal a tháinig i gceann a chéile ní b'fhaide anonn sa mhí. Ó tharla formhór na gcairdinéal bheith ar lorg pápa de chineál úr, duine nach mbeadh baint dá laghad aige le húdaráis an *Curia*, fear urnaí a mbeadh cion aige ar chách agus bá aige leis an uile bhall den chine daonna, ba ar Albino Luciani a chuimhnigh siad láithreach, fear nach raibh ach an bhaint ba lú aige leis an *Curia*. Ní raibh orthu ach spléachadh a thabhairt ar aoibh an gháire a bhíodh ar a cheannaithe i gcónaí lena chinntiú gurbh eisean an fear a raibh na dea-cháilíochtaí uile aige a bhí á lorg ag baill an tionóil. Toghadh, mar sin, 'pápa na haoibhe' ar an tríú crannchur, beagnach d'aonghuth.

Ba é tríú pápa na haoise é le teacht ó Veinéis chun na Róimhe (Pius X agus Eoin XXIII an bheirt eile). Ba é chéad phápa na haoise é a rugadh san fhichiú aois. Ar nós an phápa Eoin XXIII, tháinig sé ó theaghlach den íosaicme nach raibh mórán dé mhaoin an tsaoil acu. Agus ba é an chéad phápa riamh é le comhainm a roghnú dó féin. Roghnaigh sé an t-ainm 'Eoin Pól' le cur in iúl don saol mór go mbeadh meascán de cháilíochtaí, forásacha agus traidisiúnta, a bheirt réamhtheachtaí, Pól VI agus Eoin XXIII, aige, ach, ar sé, níorbh ionann sin is a rá go raibh sé 'baol ar chomh maith le ceachtar acu'. Thug sé le fios do chairdinéil an tionóil go raibh rún aige brú ar aghaidh le leasúcháin Vatacáin II – agus disciplín éachtach na hEaglaise i saol a cuid sagart is a cuid ball a chaomhnú ag an am céanna.

Ar 27 Lúnasa, thug sé a chéad aitheasc don Eaglais agus don domhan. Dúirt sé i dtús báire nárbh fhiú é an t-ardghradam a bronnadh air. Chuir sé i gcuimhne ansin go raibh sé de dhualgas ar Eaglais Chríost a chur ar a shúile do chách gur chóir aithne chruthaithe Dé 'Bígí torthach, agus téigí i líonmhaire agus líonaigí an talamh agus cuirigí smacht air' (Gein 1.28) a chomhlíonadh, agus gan géilleadh don chathú an duine a chur in áit Dé, ar bhonn a chuid eolais, taighde, agus teicneolaíochta, agus gan dearmad a dhéanamh ar an dlí morálta. Glaonn an Eaglais ar a clann, a dúirt Eoin Pól I, a fuinneamh agus a saol uile a chaitheamh ar mhaithe lena comharsana, de réir bhriathra an Tiarna i Soiscéal Eoin, 'Níl grá ag aon duine níos mó ná seo, go dtabharfadh sé a anam ar son a chairde' (Eoin 15:13).

Ó b'fhuath le Albino Luciani poimp agus mór is fiú d'aon sort, ní dhearnadh é a *chorónú*: is é rud a rinneadh ná é a insealbhú gan tiara, gan ríchathaoir agus, cinnte le Dia, gan *sedia gestatoria*. Ceiliúradh an tAifreann ar chéimeanna Bhaisleac Naomh Peadar ar 3 Meán Fómhair 1978. In ionad póg ar a lámha is ar a chosa a fháil ó na cairdinéil, is amhlaidh a rinne an pápa úr barróg a bhreith orthu ina nduine is ina nduine. Pápacht de chineál úr a bheadh ann gan amhras!

Tharla tubaiste, ámh, dhá lá i ndiaidh a oirnithe. Is amhlaidh a bhí Nikodym, ardeaspag oireachais Leningrad agus Novgorod, duine d'uachtaráin Chomhairle Dhomhanda na nEaglaisí, istigh in *éisteacht* leis an phápa Eoin Pól I nuair a thit sé marbh de thaom croí, cé nach raibh sé ach 48 mbliana d'aois ag an am – tuar scéiniúil den chinniúint a bhí i ndán don phápa féin tamall beag ina dhiaidh sin.

Rinne Eoin Pól I a chéad turas taobh amuigh de Chathair na Vatacáine ar 23 Meán Fómhair nuair a chuaigh sé go Baisleac Naomh Eoin na Lataráine, eaglais easpag na Róimhe, ag bun Via Merulana, le seilbh a ghlacadh uirthi. Ar a bhealach ar ais ón searmanas sin, thug sé cuairt oifigiúil ar halla cathrach na Róimhe, d'fhonn urraim a thabhairt do Signor Argon, méara cumannach na cathrach.

Ar maidin 28 Meán Fómhair, d'fháiltigh sé roimh easpaig na nOileán Filipíneacha a bhí ar chuairt *ad limina* chun na Róimhe. Chuaigh sé a luí i dtrátha a deich an tráthnóna sin, mar ba nós leis. An mhaidin dár gcionn, nuair nár tháinig sé anuas chun a shéipéil phríobháidigh i gcomhair an Aifrinn, chuaigh duine dá rúnaithe, an tAthair John Magee (sagart SMA ó Iúr Cinn Trá, atá anois ina easpag ar dheoise Chluain Uamha), suas faoi dheifir chun seomra codlata an phápa, agus tháinig sé air ina luí marbh ar a leaba. Bhí páipéir a raibh sé ag obair orthu ina luí ansin os a chomhair, agus an lampa tábla fós ar lasadh.

Ní áibhéil ar bith é a rá gur bhain bás tobann 'phápa na haoibhe' geit as Caitlicigh ó cheann ceann an domhain. Ba dhoiligh leo a chreidbheáil go raibh an pápa ceanúil caomh seo, a raibh áit faoi leith bainte amach aige ina gcroíthe, sciobtha uathu ag an mbás, agus gan é ach 33 lá in oifig. D'ainneoin go raibh an eitinn air agus é ina shagart óg, ní raibh sé san ospidéal ina dhiaidh sin, agus ós rud é nach raibh galar ar bith air ag an am a bhfuair sé bás, ba dheacra i bhfad ag pobal Dé glacadh le scéal a bháis. Sular tharla an tubaiste, bhí súil ag na fíréin go rachadh a dhaonnacht, a aoibh agus a acmhainn ghrinn go mór chun sochair don Eaglais, ach ní raibh sin i ndán dó. Toil Dé go ndéantar! Tórramh simplí a bhí aige, mar a d'iarr sé ina thiomna, ar 3 Deireadh Fómhair 1978, mí go díreach i ndiaidh a insealbhú mar phápa.

Ráflaí iarbháis

Tamall i ndiaidh a adhlactha, thosaigh daoine áirithe ar ráflaí a scaipeadh faoi bhás an phápa. As siocair gur chuir údaráis na Vatacáine tuairiscí éagsúla amach faoin mbás, shíl daoine áirithe go raibh rún éigin ag baint leis. Dúradh (a) go bhfuarthas marbh é ar 5.30 a.m., agus (b) go bhfuarthas marbh é níos maille ná sin. Dúradh i dtús báire go raibh páipéir a raibh sé ag obair orthu ina luí ar a leaba, agus ansin gur chóip de *Tóraíocht ar Chríost* le Thomas a Kempis a bhí ann, agus ansin gur tuarascáil ar nithe míthaitneamhacha a bhí ar siúl i mBanc na Vatacáine a fuarthas. Ní h-aon ionadh gur tháinig amhras ar na hiriseoirí, mar shampla, agus chuaigh ráfla amháin thart gurbh amhlaidh a rinne an *Mafia* é a fheallmharú.

Scaipeadh scéalta éagsúla, fosta, faoin bhfáth a bhí lena 'fheallmharú'. Dúradh (a) go raibh sé ar intinn ag Eoin Pól I gnóthaí Bhanc na Vatacáine a fhiosrú agus go dtabharfaí bata agus bóthar do dhaoine mór le rá dá bharr, (b) go raibh rún daingean aige 'glanadh amach' a dhéanamh sa *Curia,* agus (c) go raibh socruithe déanta ina aigne aige athruithe a dhéanamh ar theagasc *Humanae vitae.* Cuireadh leis na ráflaí ar bealaí éagsúla. Scríobh údar darbh ainm David A. Yallop leabhar dár teideal '*In God's name: an investigation into the murder of Pope John Paul I*' (Nua Eabhrac 1984; d'fhoilsigh Comhlacht Fount eagrán chlúdach páipéir de sna hoileáin seo sa bhliain chéanna), agus deineadh scannán dár teideal *Grandfather III* inar thug an *Mafia* nimh don phápa. Is é fírinne an scéil, dar ndóigh, ná go bhfuair 'pápa na haoihbhe' bás de thaom croí, nó gur eambólacht scamhóige ba thrúig bháis dó.

EOIN PÓL II 1978 –

Tús

Agus muid faoi láthair istigh go maith sa mhílaois nua, táimid buíoch beannachtach go bhfuil pápa deireanach an XXú haois beo beathaíoch linn go fóill, altú do Dhia – agus is é ár nguí dhúthrachtach gur fada a mhairfeas sé le pobal Dé a threorú ar a mbealach trí ghleann seo na ndeor. Tuigimid, ar ndóigh, go bhfuil sé in easláinte le blianta beaga anuas, ach ní hionann sin is a rá gur tháinig maolú dá laghad ar a intleacht, ar a dhiansaothar ná ar a dhíograis chun an creideamh caitliceach a neartú agus a leathnú ó cheann ceann an domhain.

Is é is dócha go mbeidh léitheoirí an leabhair seo eolach go leor ar shaol Karol Wojtyla, ó rinneadh pápa de sa bhliain 1978

– 'Bliain an Triúr Pápa', mar a bhaist duine inteacht uirthi – ach ó tharla go bhfuil scéal corraitheach spéisiúil le hinsint i gcás an chéad phápa Slavach seo (an chéad phápa nárbh Iodálach é, dála an scéil, ó aimsir an Ollannaigh Hadrian VI, a bhí i réim ó 1522 go 1523), ba neamartach an mhaise dúinn é gan scéal a bheatha a ríomh go measartha mion, ó lá a bhreithe go dtí an lá ar toghadh é ina phápa. sa bhliain 1978. Is ar éigean is gá dúinn cuntas ró-mhion a thabhairt ar a shaol ó shin i leith, ós rud é go bhfuiltear measartha eolach air cheana féin. Ar an ábhar sin ní dhéanfaimid ach achoimre ar a ndearna sé ó lá a insealbhaithe ar aghaidh. Críochnóimid ár scéal ag an phointe ar cuireadh deireadh oifigiúil le Bliain Iubhaile 2000.

Tháinig Karol Josef Wojtyla ar an saol ar 18 Bealtaine 1920, i Wadowice, baile mór tionsclaíoch atá suite 31 mhíle thiar theas de chathair Krakow na Pólainne. Iarmhúinteoir scoile ab ea a mháthair, Emilie, a rugadh ar 26 Márta 1884, agus leifteanant in arm na Pólainne ab ea a athair – a raibh Karol mar ainm air fosta – a rugadh ar 18 Iúil 1879. Bhí a athair bliain agus dhá scór d'aois nuair a saolaíodh Karol óg. Rugadh beirt pháiste eile do Karol is d'Emilie roimhe sin, Edmund ar 27 Lúnasa 1906 (chuaigh sé ar aghaidh le bheith ina dhochtúir agus d'éag ar 5 Nollaig 1932, in aois a 26 mbliana, nuair a tholg sé an fiabhras dearg ó othar a bhí faoina chúram); agus Olga, a tháinig chun an tsaoil in earrach na bliana 1914 agus nár mhair ach cúpla lá. Bhí Edmund 13 bliain d'aois nuair a rugadh Karol óg, agus riamh nó go bhfuair sé bás, ba é an sú súilíneach le Karol Josef é; bhí an bheirt dheartháir doirte dá chéile. Ní raibh Karol bocht ach aon bhliain déag d'aois, áfach, nuair a d'éag Edmund agus ba mhór a chronaigh an lead óg an deartháir mór a bhí mar ghaiscíoch go dtí sin aige. Thugadh Emilie 'Lolek' ar Karol, ainm ceana nár scar leis go dtí go raibh a thuismitheoirí agus a ghaolta uilig faoin bhfód.

Oiliúint

Thosaigh Lolek ag freastal ar bhunscoil Wadowice, Scoil Marcin Wadowita, agus é i gceann a sheacht mbliana. Ní raibh sé ach dhá bhliain ar an scoil nuair a fuair Emilie bás, ar 13 Aibreán 1929, de ghalar sna duáin a bhí ag bagairt uirthi óna hóige ar aghaidh, agus fuair Edmund bás trí bliana ina dhiaidh sin. Ghoill bás a mháthar go mór ar Karol Josef, ní nach ionadh, agus mhéadaigh bás Edmund ar a dhólás croí níos mó fós. Tarraingíodh an bheirt Karol, athair agus mac, níba ghaire dá chéile dá bharr, agus ní bheadh de chuspóir ag an athair feasta ach aire a thabhairt dá mhac óg.

Le linn do Lolek bheith ar an mbunscoil, rinne sé mór le gasúr Giúdach dárbh ainm Jerzy Kluger a bhí in aonrang leis. Bhí ainm ceana ar Jerzy óg mar an gcéanna – 'Jurek' – agus bhíodh Lolek agus Jurek páirteach i ngnáth-eachtraíocht agus i ngnáth-dhiabhlaíocht gasúir óga agus iad do-scartha lena chéile go dtí go raibh ar Lolek agus a athair slán a fhágáil ag Wadowice go brách.

In aois a aon bhliain déag, thosaigh Karol ag freastal ar ardscoil stáit ar an mbaile mór, mar ar chruthaigh sé go maith mar scoláire agus mar lúthchleasaí. Chuir sé dúil i ngach cineál spóirt, ach go háirithe sa pheil shacair, sa snámh agus sa rámhaíocht. D'éirigh go breá leis ina chuid scrúduithe agus b'fhollas go raibh saol an léinn ag sméideadh air. Ós ag trácht ar a dhúil i gcúrsaí spóirt, is beag duine nach eol dó go raibh Karol Wojtyla an-gheallmhar ar an sléibhteoireacht agus ar sciáil i rith a shaoil – riamh nó gur bhris sé cnámh ina chorróg i dtaisme a tharla dó ina sheomra folctha sa bhliain 1974. Agus é fós ina mhac léinn sa mheánscoil, thosaigh sé fosta ag cur suime san fhilíocht agus sa drámaíocht, ar choinnigh sé a spéis iontu riamh ó shin.

Krakow: i dtreo na sagartachta

Sa bhliain 1938, agus Karol ar tí clárú san Ollscoil Jagellionach (Ollscoil Krakow), ceann den dá ollscoil is ársa san Eoraip Láir, a bunaíodh sa bhliain 1364 agus a raibh Copernicus ina mhac léinn inti, bhog sé féin agus a athair chun na cathrach sin, mar ar chuir siad fúthu i dteach ar le dearthair Emilie – Robert – agus le beirt dheirfiúr dá chuid é. Bhí sé suite measartha cóngarach d'abhainn na Vistula i gceantar Debnicki. Chláraigh

Karol i gcúrsa teanga agus litríocht na Polainnise. Chuir sé suim chomh maith céanna i dteangacha iasachta agus choinnigh sé a spéis sa drámaíocht amaitéarach. Bhí sé ina bhall de chumann drámaíochta dárbh ainm 'Studio 39'. Bhí cailín óg dárbh ainm Halina Krolikiewicz páirteach leis sna drámaí, cailín a chuaigh ar aghaidh le bheith ina banaisteoir chlúiteach. Tá údair ann a deireann go raibh an bheirt acu ag siúl amach le chéile, ach níl craiceann na fírinne ar an scéal. Phós Halina fear eile, cibé ar bith, agus nuair a rinneadh sagart de Karol, ba é leanbh na lánúine óige an chéad leanbh dár bhaist sé.

Ghlac na Naitsígh seilbh ar an Phólainn i mí Mheán Fómhair na bliana 1939, agus dhún siad Ollscoil Krakow go han-luath ina dhiaidh sin. Cuireadh córas staidéir rúnda ar bun, áfach, agus reachtáil Karol agus cara leis cumann drámaíochta faoi cheilt. Lean Wojtyla dá staidéar agus luigh isteach ar fhilíocht a scríobh sna blianta sin. Ar eagla, ámh, go dtarraingeodh sé aird na n-údarás air féin, bhí air clárú faoi choinne oibre, agus i mí Mheán Fómhair 1940, fuair sé a chéad phost mar oibrí i gcairéal cloch aoil i Zabrowek, taobh amuigh de Krakow. Chomh maith leis an chumann drámaíochta rúnda, bhí sé páirteach ina am saor freisin sa *Teatr Rapsadyczny* (Amharclann na Rapsóide) i Krakow. I mí Dheireadh Fómhair 1941, d'éirigh leis post ní b'fhearr a fháil i bhfearas glanta uisce i monarchain cheimice Solvay i mBorak Falecky. Cé nach raibh sa dá phost seo ach sclábhaíocht, ar a laghad ar bith d'éirigh leis an gorta a choinneáil uaidh agus ábhar a bhailiú don chuid ba cháiliúla dá dhánta.

Ní b'fhaide anonn sa bhliain sin, tharla tubaiste eile ina shaol. Ar theacht abhaile óna chuid oibre dó oíche amháin, tháinig sé ar a athair ionúin agus é ina luí ar an urlár fuar marbh. Ar 22 Feabhra 1941 a tharla sé sin; bhí sé i ndiaidh stróc a fháil agus é ina aonar sa teach. Bhí Karol Josef Wojtyla anois ina dhílleachta, gan tuismitheoirí gan teaghlach agus gan fiú bliain is fiche slánaithe aige go fóill. B'uafásach an buille é. Chuir bás a athar ag machnamh é. Céard a bhí i ndán dó anois agus é ina chadhan aonair in aimsir anróiteach an chogaidh, gan chrann taca dá laghad aige? Thosaigh a smaointe ag gluaiseacht i dtreo na sagartachta – seans gur smaoinigh sé ó am go ham uirthi roimhe seo, ní foláir a rá, mar is dual do gach uile lead óg a dhéanamh. Ba é a tharla de thoradh a mhachnaimh gur thosaigh sé ag déanamh staidéir faoi choim ar an diagacht. I mí na Nollag 1942 rinne sé an cinneadh cróga a chuir cor nár bheag i gcinniúint an oibrí óig mhonarchan, cinneadh a chuir idir áthas agus alltacht ar a chairde óga ollscoile sa chumann rúnda drámaíochta.

Fuair sé leid aisteach eile ina mhachnamh nach raibh súil dá laghad aige leis - ná dúil dá laghad aige ann. Ar 27 Feabhra 1944, agus é ar ais ag obair sa mhonarchain cheimice, tharla gur leag leoraí é a bhí á thiomáint ag Gearmánach. In ionad stopadh le fáil amach cén dochar a bhí déanta dó is é rud a ghéaraigh an Gearmánach ar luas an leoraí agus d'imigh leis. Go hádhúil le Dia tháinig Gearmánach eile an bealach, fear nach raibh baol ar chomh fuarchroíoch le fear an leoraí, agus ar fheiceáil Karol ina luí loite ar an bhóthar dó, d'ordaigh sé dá thiománaí Karol a thabhairt chun an ospidéil, mar ar cuireadh cóir leighis air. Níor mhór do Wojtyla trí lá déag a chaitheamh san ospidéal. Tháinig biseach ar na cneácha cloiginn a bhí air diaidh ar ndiaidh. Ach corradh le cúig mhí ina dhiaidh sin, chuaigh sé faoi orlach d'anbhás eile a fhulaingt i gcampa díothaithe de chuid na Naitsíoch. Ar 6 Lúnasa 1944, agus an SS ar a míle dhícheall ag gabháil stócaigh óga agus á sá isteach i gcampaí géibhinn nó díothaithe thall is abhus, sula dtiocfadh an t-ionradh ó arm na Rúise a rabhthas ag súil leis, d'éirigh le Karol dul i bhfolach in íoslach an tí ina raibh sé ag cur faoi, sa dóigh is nár thángthas air beag ná mór – ach ba ar éigean a tháinig sé slán ón chontúirt. Ghlac sé leis an éalú míorúilteach sin mar theachtaireacht ó Dhia go raibh sé daite dó lorg Chríost a leanúint.

Treisíodh ar an tuairim sin aige ceithre lá tar éis eachtra an SS nuair a fuair Wojtyla scéala go raibh rún ag an bPrionsa Adam Sapieha, cairdinéal-ardeaspag Krakow, Karol agus triúr eile ábhar sagairt a ghlacadh isteach ina phálás faoi rún ionas go bhféadfadh siad leanúint dá gcuid staidéir ar an diagacht. Sula ndéanfadh sé sin, áfach, bhí ar an chairdinéal iarraidh ar stiúrthóir na monarchan ainm Wojtyla a bhaint den phárolla sa dóigh is nach mbeadh na Gearmánaigh á chuardach. Comhlíonadh an t-iarratas láithreach bonn. Bhí Karol slán.

Ar shaoradh na Pólainne i mí Eanáir 1945, bhí faill ag Karol freastal athuair ar Ollscoil Jagielloniach, ach gur ag déanamh staidéir ar an diagacht a bheadh sé anois ar ndóigh. Lean sé den mhachnamh, áfach, ar an saol a bhí roimhe. Ní hé sin le rá go raibh sé idir dhá chomhairle faoin sagartacht; ní raibh, ach bhí an bheatha chrábhaidh á mhealladh. Thug sé cuairt nó dhó ar mhainistir Chairmílíteach Dhíbhrógach Czerny agus mheall fiúntas agus foirfeacht saol na manach go mór é. Bhí a anamchara agus a ardeaspag araon, ámh, glan i gcoinne é bheith ina mhanach i Czerny agus mhol siad beirt go tréan dó an smaoineamh sin a chur uaidh. Chuir an Cairdinéal Sapieha aguisín lena chomhairle – go raibh géarghá ag ardfhairche Krakow le Karol Wojtyla.

Bhain Karol céim amach sa diagacht *magna cum laude* (le hardghradam) i mí Lúnasa na bliana 1946 agus Lá Samhna na bliana céanna rinne an t-ardeaspag Sapieha sagart de ina shéipéal príobháideach féin i bPálás na nArdeaspag i Krakow. Léigh an t-athair Karol a chéad Aifreann an lá dár gcionn, Lá Fhéile na Marbh, ar son anamacha a thuismitheoirí agus a dheartháir Edmund, i lusca Naomh Leonard in Ardeaglais Wawel na cathrach sin; agus ar 10 Samhain léigh sé Aifreann ina bhaile dúchais Wadowice.

Ní ba luaithe sa bhliain 1946, i mí Mhárta, foilsíodh a chéad chnuasach filíochta *Duan an Dé Cheilte*. Agus é ag cur filíochta nó drámaí i gcló, is minic a bhaineadh sé feidhm as ainm cleite, ar nós 'Andrzej Jowien' – cé nár chuir sé dallamullóg ar a léitheoirí i gcónaí ar an mbealach sin.

Chun na Róimhe

I mí na Nollag 1946, chuir ardeaspag Sapieha Krakow an t-athair Karol chun na Róimhe le go leanfadh sé den staidéar in Ollscoil Phointifiúil (Dhoiminiceach) an *Angelicum*. Bhain Wojtyla a dhochtúireacht amach, *magna cum laude* arís, i mí an

Mheithimh 1948, agus an marc éachtach 50 as 50 gnóthaithe aige. Ba é 'Coincheap an chreidimh i saothar Naomh Eoin na Croise' ábhar a thráchtais. Le linn dó bheith ag freastal ar an *Angelicum,* chuir sé faoi i gColáiste na Beilge. Bhí rún aige, fad a bheadh sé sa Róimh, trí theanga Eorpacha a fhoghlaim – an Iodáilis, ó tharla cónaí a bheith air sa Róimh; an Fhraincis, as siocair lucht intleachta na Pólainne bheith measartha eolach uirthi sin agus an-tugtha di; agus an Spáinnis, ar an ábhar go raibh fonn air saothar Naomh Eoin na Croise a léamh sa bhunteanga.

Agus é sa Róimh, chuir Wojtyla aithne ar an monsignor Giovanni Battista Montini (an pápa Pól VI ar ball), a chastaí dó agus é ag obair ina am saor do Sheirbhísí Caitliceacha an Chabhair Chogaidh. Rud eile a rinne sé agus é sa Róimh ná dul ar cuairt go Marseilles na Fraince chun bualadh leis an Athair Jacques Loew, an sagart a chuir gluaiseacht na sagart-oibrithe ar bun, a raibh an-spéis go deo ag Karol inti.

Ar fhilleadh abhaile ó Ardchathair na Críostaíochta dó, chuir an cairdinéal Sapieha é mar shagart pobail go Niegowici, 30 míle ó Krakow, sa bhliain 1948 agus tar éis tamaill go paróiste Naomh Florian i Krakow, post inar fhan sé go dtí 1951.

Chuaigh sé ar ais go dtí Ollscoil Jagielloniach an bhliain chéanna d'fhonn staidéar a dhéanamh ar an fhealsúnacht – ar shaothar fhealsúnaithe mar Martin Buber, Gabriel Marcel agus go háirithe an Gearmánach Max Scheler (1874-1928) a ndearna sé a thráchtas a scríobh air, 'Meastóireacht faoi an féidir eitic Chríostaí a chur le chéile ar bhonn córas Max Scheler'. (Tháinig an tráchtas amach i bhfoirm leabhair sa bhliain 1960).

D'éag an cairdinéal Sapieha ar 23 Iúil 1951 agus ainmníodh an monsignor Eugeniusz Baziak ina chomharba air agus ina ardeaspag ar Krakow. Cheadaigh seisean don Athair Wojtyla dhá bhliain a ghlacadh saor chun tuilleadh staidéir a dhéanamh. Sa bhliain 1952, thosaigh Wojtyla ag léachtóireacht ar an eitic shóisialta i gcliarscoil Krakow agus lean leis an obair sin go dtí Deireadh Fómhair 1954 nuair a ceapadh ina ollamh eitice (agus ina shéiplíneach san am céanna) in Ollscoil Lublin é. Bliain roimhe sin, bhí an caidreamh idir an Eaglais agus an Stát cumannach ag dul in olcas agus ar 27 Meán Fómhair 1953, cuireadh príomháidh na Pólainne, an Msgr Stefan Wyszynski, isteach i bpríosún, rud a ghoill go mór ar an athair Wojtyla agus ar phobal na tíre i gcoitinne.

Ina easpag, ina ardeaspag, ina chairdinéal

Bhí an t-athair Wojtyla amuigh ag rámhaíocht i gcuideachta dornán dá mhic léinn i samhradh na bliana 1958 agus réimeas Pius XII ag tarraingt chun deiridh. Fuair Karol sreangscéal ar 8 Iúil – ní fios cén dóigh ar shroich sé é – á chur in iúl dó go raibh an pápa tar éis é a ainmniú ina easpag theidealach ar dheoise Ombi agus ina easpag chúnta don monsignor Baziak, ardeaspag Krakow. Ós rud é nach raibh an t-athair Wojtyla ach 38 mbliana d'aois, chuir an ceapachán ionadh an domhain air. B'ionann sin is gurbh eisean an t-easpag ab óige i gcliarlathas na Pólainne ag an am. Mar mhana thogh Karol na focail *totus tuus* (leatsa go hiomlán), a léigh sé i leabhar de chuid an Naoimh Fhrancaigh, Louis-Marie de Montfort, a mhair sa seachtú haois déag. Ag tagairt don Mhaighdean Mhuire a bhí an naomh leis an abairt sin.

Ceithre bliana ina dhiaidh sin arís, nach mór, ar 17 Meitheamh 1962, d'éag an t-ardeaspag Baziak agus ceapadh an t-easpag cúnta Wojtyla i gcomharbacht air. Faoi mar a tharla, bhí próiseas fada le dul tríd, ag an am, sara n-ainmneofaí easpag úr sa Phólainn. Bhíodh ar an phríomháidh agus ar an chliarlathas ar fad trí ainm ar a laghad a chur faoi bráid údaráis an Stáit. Sa chás áirithe seo, dhiúltaigh siad do dhuine amháin, agus do dhuine eile, ach i ndeireadh na dála, aisteach go leor, thoiligh siad glacadh le hainm Karol Wojtyla a mheas siad a bheadh solúbtha go leor dóibh. (Nárbh orthu a bhí an dul amú!) Ar 30 Nollaig 1963, d'ainmnigh Pól VI – a bhí ina phápa faoin am seo – Karol Wojtyla ina ardeaspag ar Krakow, bíodh is nach raibh an príomháidh Wyszynski i bhfách le sin ar chor ar bith. Rinne Pól VI an t-ardeaspag úr a insealbhú ar 8 Márta 1964 in Ardeaglais Wawel, Krakow – an chéad ardeaspag san fhairche sin riamh nár den uaslathas é. Trí bliana ina dhiaidh sin (28 Meitheamh 1967) rinne Pól VI cairdinéal de ar 28 Meitheamh 1967 i Séipéal Sistíneach na Róimhe – an dara cairdinéal ab óige san am, óir ní raibh sé ach 47 mbliana d'aois. Ba é an séipéal sa Róimh a deonaíodh dó ná séipéal galánta San Cesareo i ngar d'fholcadáin Caracalla.

Thiar sa bhliain 1960, foilsíodh tráchtas tréadach de chuid Wojtyla ar an chollaíocht dár teideal *An Grá agus an Fhreagracht* a chuaigh i gcion chomh mór sin ar an phápa Pól VI gur bhain sé leas as agus a imlitir *Humanae vitae* á ullmhú aige. Bhí Wojtyla go mór chun tosaigh i gComhairle Vatacáin II, go mór mór sna seisiúin dheireanacha. Le linn seisiún deiridh na Comhairle, i 1965, cuireadh laetha aoibhne a óige i gcuimhne dó arís. Is mar seo a tharla. Bhí a chomrádaí bunscoile, Jerzy Kluger, ar cuairt sa Róimh ag an am agus chonaic sé ainm Karol ar an pháipéar. D'fhág sé scéala san teach ina raibh a sheanchara ag cur faoi, agus bhuail Lolek agus Jurek le chéile don chéad uair le fada an lá ar 20 Samhain 1965. Bhí lúcháir ar an Ghiúdach agus ar an Chaitliceach araon.

Ar chuireadh ón phápa Pól VI, rinneadh ball de Shionad na nEaspag de Karol Wojtyla sa bhliain 1969, agus d'fhreastail sé ar cheithre cinn de na cúig shionad. Ag Sionad 1971, ainmníodh é ina bhall den choiste stiúrtha. Bhí sé ina bhall freisin de thrí cinn de chomhthionóil na Vatacáine, na cinn ar an Chléir, ar na Sacraimintí agus Adhradh Dé, agus ar an Oideachas Caitliceach.

Ba léir gur réitigh an cairdinéal Wojtyla agus an pápa Pól VI le chéile go sármhaith. Bhí ardmheas ag an phápa ar scríbhinní Wojtyla agus thug Wojtyla aon chuairt déag phríobháideacha ar an Phápa idir 1973 agus 1975. Chomh maith leis sin, rinne Wojtyla cuid mhaith taistil ar fud an domhain sna blianta seo. Thug sé cuairteanna ar Mheiriceá Thuaidh (ar Chomhdháil Eocairisteach Philadelphia na bliana 1976, mar shampla), ar an Mheánoirthear, ar an Afraic, ar an Áis Theas agus Thoir, ar an Astráil. Thug sé a chuairt dheiridh ar Phól VI sa bhliain 1978, agus bhí sé i láthair ag a thórramh i bhfómhar na bliana sin.

Arís ar chuireadh ón phápa, thug Karol Wojtyla sraith aitheasc do Phól VI, dá líon tí agus don *Curia* i rith Charghais 1976: foilsíodh an cúrsa spioradálta sin i mBéarla faoin teideal '*Sign of Contradiction*' sa bhliain 1979. Is cosúil gurbh ionann an cuireadh úd agus nod ó Phól VI gurbh ábhar pápa an Polannach – nó i ngnáthchaint na Vatacáine go raibh sé *papabile*. Níor mhaith an mhaise dúinn a cheapadh, áfach, gur chaith Wojtyla a dhúthracht uilig ag taisteal ó cheann ceann an domhain. Is amhlaidh a chomhoibrigh sé go díograiseach do-thuirsithe le príomháidh na Pólainne, Stefan Wyszynski, ina shíorchoimhlint le húdaráis chumannacha na tíre chun stádas dlíthiúil éigin a bhaint amach don Eaglais.

Ar bhás Phóil VI, ní nach ionadh, bhí aithne mhaith ar Karol Wojtyla sa Vatacáin, murab ionann is sa chuid eile den domhan. Measadh ámh nach raibh an t-am fós tagaithe in arbh fhéidir fear a thoghadh ina phápa nárbh Iodáileach é, ach nuair a fuair an Pápa Eoin Pól I bás tobann, tháinig athrú ar an scéal. Ní raibh na cairdinéil in ann teacht ar *consensus* dá laghad i leith iarrthóir Iodáileach ar bith. Bhí go leor de chairdinéil an tionóil i gcoinne Giuseppe Siri, ardeaspag coimeádach Genova agus *protégé* de chuid Pius XII, a bhí 72 bhliain d'aois, ar an ábhar gur chuir sé in aghaidh an phápa Eoin XXIII agus Chomhairle Vatacáin II, agus níor thaitin an cairdinéal raidiceach, Giovanni Benelli, ardeaspag Firenze leo ach oiread, a raibh croitheadh agus suaitheadh nár bheag bainte aige as maorlathas na Vatacáine faoi choimirce Phóil VI. Ar an ábhar sin, bhí na cairdineil i bhfách le hiarrthóir ó tír eile a cheapadh an iarraidh seo. Thiar sa bhliain 1960 is amhlaidh a bhí 50 as 80 cairdinéal Eorpacha ann, ach anois ní raibh ach 56 Eorpach i measc na 111 gcairdinéal ar fad agus rinne sin difear mór.

Ar an ochtú crannchur, roghnaíodh an cairdinéal Wojtyla, in aois a 58 mbliana – measartha óg don phápacht – agus 103 as 109 vótaí aige, de réir chosúlachta. Ba é an té ab óige a toghadh ina phápa ó aimsir Pius IX sa bhliain 1846. Ghlac sé ainm a réamhtheachtaí, Eoin Pól, mar chomhartha ómóis ní amháin dósan ach d'Eoin XXIII agus dá chara ionúin Pól VI chomh maith céanna. Dála Eoin Pól I, ní raibh corónú ar bith ann, ach rinneadh é a oirniú mar 'thréadaí uilíoch na hEaglaise' i gCearnóg Naomh Peadar, ar 22 Deireadh Fómhair 1978. Bhí 'Bliain an Triúr Pápa' ag tarraingt chun críche.

Níos mó ná céad bliain roimhe sin, rinne file Polannach, Juliusz Slowacki, a thuar go dtiocfadh an lá a mbeadh pápa Slavach ann. Tháinig an tuar faoin tairngreacht ar an lá sollúnta sin i gcathair na Róimhe.

Pápacht Eoin Pól II: turais thar lear

Ar 17 Deireadh Fómhair 1978, cúig lá roimh a oirniú ina phápa, thug Karol Wojtyla aitheasc do chairdinéil an tionóil inar gheall sé dóibh a sheacht ndícheall a dhéanamh na cinntidh a glacadh ag Comhairle Vatacáin II a chur i bhfeidhm go hiomlán agus go críochnúil. An lá dár gcionn, dúirt sé le hambasadóirí sa Vatacáin gurbh é an cuspóir a chuir sé roimhe ná bheith 'ina fhinné ar an ghrá uilíoch', agus ina theannta sin mhaígh sé nach raibh an Chathaoir Naofa ag éileamh a dhath ar bith di féin, nach raibh uaithi ach go mbeadh saoirse ag na fíréin ar fud an domhain le Dia a adhradh gan chosc gan chonstaic. Agus, mar a chonaic muid, rinneadh é a oirniú i searmanas measartha simplí, gan mór is fiú dá laghad.

Agus an spléachadh gairid seo á thabhairt againn ar a thréimhse mar phápa, tráchtfar i dtús báire ar an ghné is suntasaí dá phápacht, is é sin na turais tréadacha ar thug sé fúthu chuig gach chearn den domhan. Ní raibh an saol caitliceach cleachtaithe le pápa a bheith ag tabhairt 'chuairt na cruinne', ar ndóigh, ach ní raibh moill ar na fíréin dul i dtaithí ar an ghnás úr seo ag an phápa Pholannach.

Níl rún againn tagairt don uile chuairt dár thug an pápa, ach díreach do na cinn shuntasacha ar a mbeidh cuimhne ar leith orthu. Ba ar Mheiriceá Láir a thug sé a chéad chuairt, a mhair ó 25 Eanáir go 13 Feabhra 1979. Bhí cruinniú ag easpaig thíortha Mheiriceá Theas ar siúl i bPueblo Mheicsiceo ag an am. Tír measartha frithchléireach is ea Meicsiceo agus thaispeáin uachtarán na tíre sin naimhdeas gráiniúil don phápa le linn na cuairte, a mbeadh a mhacasamhail ina ghné mhíthaitneamhach de chuid dá thurais, mar a fheicfidh muid ar ball beag.

Ar an chéad chuairt sin, leag sé síos patrún chóir a bheith do-athraithe dá chuairteanna tréadacha uile thar sáile. Ar an gcéad dul síos, ba ghnách le hEoin Pól II talamh na tíre a phógadh ar thuirlingt dó den eitleán – gnás ar lean sé de go dtí gur éirigh sé ró-anbhann righin de bharr na hobráide a rinneadh ar a chorróg sa bhliain 1993. Ba í a chuairt chun na Cróite ar 10 Meán Fómhair 1994 an chéad ócáid nach raibh sé in ann síneadh béal faoi agus talamh na tíre a phógadh, dála an scéil. I ndiaidh dó an comhartha ómóis sin a dhéanamh, gluaiseadh sé thart i bhfeithicil faoi leith ar a dtugtar *popemobile* – feithicil measartha ard, faoi ghloine ar fad nach mór, agus an pápa le feiceáil go breá soiléir ar an taobh istigh. Ansin léadh sé Aifreann in áiteanna poiblí os comhair ollslua daoine. Thugadh sé aithisc uaidh le linn na nAifreann, aithisc ar fhadhbanna an lae a chuireadh an cliarlathas áitiúil le chéile dó roimh ré, agus a chuirfeadh dúshlán faoin lucht éisteachta agus a spreagfadh iad chun a mbeatha a fheabhsú agus a gcreideamh a neartú is a dhoimhniú.

Ba ar a thír dhúchais féin a thug sé an dara cuairt aige, ar 2-10 Meitheamh 1979, agus na sluaite síoraí i láthair ag gach uile áit ar thug sé aghaidh uirthi. Chuir an chuairt seo alltacht agus uafás ar na húdaráis chumannacha sa Phólainn agus sa Rúis, ní nach ionadh, agus is é a cheaptar ná gurbh í a chuir tús leis an réabhlóid a leag an córas cumannach ar fud oirthear na hEorpa, agus a leag an 'Cuirtín Iarainn' chomh maith i ndeireadh na dála i 1989 – 1990.

Ar an tír bheag s'againn féin a thug an pápa a thríú cuairt ar deireadh seachtaine 29-30 Meán Fómhair 1979. Duine ar bith dá raibh i láthair ag aon cheann de na hócáidí, cibé acu Páirc an Fhionnuisce, Droichead Átha, Gaillimh, Cnoc Mhuire nó Luimneach, ní dhéanfaidh sé dearmad go deo uirthi. Bhí an aimsir ar fheabhas, 'samhradh beag na ngé' faoi lán seoil agus gan braon fearthainne le feiceáil ó thús deireadh. Labhraíodh an tseanghlúin ar imeachtaí stairiúla Chomhdháil Eocairisteach

1932 i mBaile Átha Cliath, ach níor dhada sin i gcomórtas le 'Cuairt an Phápa i 1979'. Admhaítear go coitianta, áfach, gurb éadócha go bhféadfaí a mhacasamhail a eagrú in Éirinn an lae inniu, ainneoin ré an 'Tíogair Cheiltigh' beith ann – nó b'fhéidir dá bharr sin! Glactar leis, dála an scéil, gur comhartha cuairt úd Eoin Pól II ar an ardmheas agus an mhórchion a bhí aige go pearsanta ar an Chairdinéal Tomás Ó Fiaich, príomháidh na hÉireann ag an am.

Ó Aerphort na Sionainne, thug an pápa aghaidh ar Stáit Aontaithe Mheiriceá i dtús mí Dheireadh Fómhair; agus ag deireadh mí na Samhna 1979, chuaigh sé go dtí an Tuirc. Sa tír mhoslamach sin dó, rinne sé freastal ar liotúirge de chuid an phatrairc Éacúiméanaigh agus ghlac seisean páirt i liotúirge de chuid an phápa. Is inspéise an rud é gur scríobh stócach Turcach dárbh ainm Mehmet Ali Agca litir, le linn na cuairte sin, chuig nuachtán Turcach ag bagairt go gcuirfeadh sé piléar trí chorp Eoin Pól II. Níor tharla sin ag an am, ach bhí an rabhadh tugtha!

Ar 13 Bealtaine 1981, agus an pápa i *jeep* á thabhairt thart ar Chearnóg Naomh Peadar sa Róimh, scaoil an t-ógfhear Turcach úd a dó nó a trí d'urchair as piostal le hEoin Pól II agus gortaíodh é go dona san uillinn dheis agus sa ghoile. Níos measa fós, fuarthas amach san ospidéal go ndeachaigh piléar eile faoi chúpla milliméadar dá aorta lárnach. Ba mhór an mhíorúilt é nár maraíodh an pápa. Chuir an lámhach seo imní agus eagla ar na fíréin, agus dar ndóigh bhí na meáin cumarsáide ag fiosrú an scéil chomh maith: ar dhein Ali Agca an gníomh uaidh féin, nó an raibh eagraíocht nó fiú tír éigin taobh thiar de? Ní raibh de thuairim ag an phápa féin fúithi ach 'gurbh obair an diabhail a bhí ann', ach bhí daoine ann a chuir an milleán ar phéas rúnda na Bulgáire, ar chúis amháin nó ar chúis eile. Is é fírinne an scéil gur dócha nach mbeidh freagra na gceisteanna sin againn go brách, mura gcuireann Ali Agca féin ar an eolas muid. Go dtí seo ní dhearna sé a leithéid.

Ar scor ar bith, chuaigh Eoin Pól II faoi scian i gClinic Gemelli sa Róimh agus mhair an obráid cúig huaire an chloig, agus b'éigean dó 77 lá ar fad a chaitheamh san ospidéal agus tamall fada téarnaimh ina dhiaidh sin. Dhá bhliain i ndiaidh an ionsaithe chuir sé ionadh agus áthas ar dhaoine nuair a thug sé cuairt, ar 27 Nollaig 1983, ar Mehmet Ali Agca a bhí i bpríosún Rebibbia na Róimhe gur thug maithiúnas dó. Sampla spreagúil ar an ghrá Chríostúil gan amhras. Roimhe sin, áfach, thug sé cuairt ar scrín na Maighdine Muire i bhFatima na Portaingéile idir 12 agus 15 Bealtaine 1982 chun buíochas a thabhairt do Mháthair Chríost as é a shábháil ón anbhás an lá úd i gCeamóg Naomh Peadar.

Ó tharla muid ag trácht ar thurais athuair, luafaimid anois cuairt eile a thug an pápa sa bhliain 1982 – an chuairt a thug sé ar ár gcomharsana béal dorais sa Bhreatain Mhór i ndeireadh mhí na Bealtaine. Ós rud é, áfach, go raibh an Bhreatain agus an Airgintín i ndeabhaidh lainne le chéile ag an am faoi na hOileáin Fháclainne (*Islas Malvinas*) níor mhian le hEoin Pól II leathbhróg bheith air le taobh amháin thar an taobh eile, agus mar gheall air sin, nuair a bhí deireadh leis an chuairt ar an mBreatain, d'imigh sé láithreach go Buenos Aires na hAirgintíne, mar ar fhan sé ó 10 go 13 Meitheamh 1982.

Thug sé aghaidh ar scrín na Maighdine Muire i Lourdes na Fraince ar 14 Lúnasa 1983, ar an Ísiltír ar 11-15 Bealtaine 1985 agus ar an India 5 Feabhra 1986. Idir 1979 agus 1994 is amhlaidh a rinne Eoin Pól II dhá thuras agus trí scór ar fad, inar thug sé cuairt ar 110 tíortha iasachta san uile chearn de chúig mór-ranna an domhain – éacht ag duine amháin nach bhfuil léamh ná insint béil air.

Mar a chonaic muid ar a chéad chuairt (Meicsiceo) níor cuireadh an fháilte chéanna, roimh Eoin Pól II i ngach tír. Rud eile de, dá bhfillfeadh sé ar Éirinn anois ag tús na mílaoise nua, mar shampla, an gcuirfí an fháilte chéanna roimhe is a cuireadh siar sa bhliain 1979? Ar a chéad chuairt chun na Fraince dó – Páras is mó a bhí i gceist – ar 2 Meitheamh 1980, ní raibh na sluaite a tháinig amach ina araicis baol ar chomh mór agus a rabhthas ag súil leis, agus ar fhilleadh ar an Fhrainc dó ar 22 Meán Fómhair 1996 (Reims an iarraidh sin), chuimhnigh roinnt mhaith Francach ar a ndúirt an Pápa le linn a chéad chuairte "a mhuintir na Fraince, an bhfuil sibh dílis do ghealltanais bhur mbaiste?" agus sheol na céadta acu litreacha agus cártaí chuig a n-easpaig nó chun a bparóistí ag iarraidh go mbainfí a n-ainmneacha de chlár na mbaistí. Chuir sé sin arraing trí chroí Eoin Pól II agus bhain geit nár bheag as. Ní hé amháin sin ach chuir sé buairt as cuimse ar údaráis Eaglais na Fraince.

Ach os a choinne sin, bhí an dúshlua daoine i láthair ag an uile Aifreann dár léigh Eoin Pól II agus é ar ais sa Fhrainc do Lá Domhanda an Aosa Óig, ar 21-24 Lúnasa 1997. Agus bhí *milliún* duine i láthair ag an Aifreann clabhsúir i bpáirc ráschúrsa Longchamp! Caithfidh gur tógáil croí mhór a bhí ansin dá Naofacht (teideal, dála an scéil, nach n-úsáidtear mórán ó aimsir an phápa Pius XII).

Má ba dhoicheallach bunadh na Fraince ar an chéad dá chuairt úd ag an phápa orthu, ba sheacht measa caitlicigh 'fhorásacha' na hÍsiltíre le linn a chuairte ar 11-21 Bealtaine 1985. Ar ndóigh tá clú agus cáil (ar chirte 'míchlú' a thabhairt air?) le fada an lá ar bhunadh na hÍsiltíre as a n-easumhlaíocht do ghlór na hEaglaise. Ar an chuairt seo, pé scéal é, bhí rí-rá agus ruaille buaille ar siúl ag na hionaid uilig ina raibh sé agus scaifte mór péas i láthair i ngach cás. Ainrialaithe is 'puncannaí' a bhí ann agus raic an diabhail á tógáil acu os coinne agus in éadan an phápa. Cé a thógfadh ar Eoin Pól II é dá n-abródh sé "Cé a thógfas uaim na caitlicigh dhiabhalta seo?"

Ní raibh an scéal mórán ní b'fhearr nuair a thug Eoin Pól II cuairt ar Sri Lanca i mí Eanáir na bliana 1995.

Ná déantar dearmad, áfach, go raibh cuairteanna aoibhne, éachtacha ag an phápa freisin sna hochtóidí agus sna nóchaidí. Ní dhéanfar dearmad go ceann i bhfad, mar shampla, ar an chuairt iontach a thug sé ar Chúba, i mí Eanáir 1998, agus ar an fháilte chroíúil a chuir Fidel Castro agus a phobal 'cumannach' roimh an phápa (agus b'é Castro an 'deamhan' a bhí á dhamnú ag go leor de na fíréin le fada an lá), agus grianghrafanna de Che Guevara ar foluain sa ghaoth i ngach áit, fiú agus an tAifreann á cheiliúradh! Beidh cuimhne ar feadh l bhfad tosta ar a chuairt mhór-thábhachtach ar an Talamh Naofa, ar 20-26 Márta Bhliain Iubhaile 2000, nuair a d'iarr sé maithiúnas ar Ghiúdaigh as na coireanna a rinne Caitlicigh orthu ó aimsir Chríost i leith. Mar bhuille scoir ar an ábhar seo, de réir staitisticí na Vatacáine sa bhliain 2000, ó 1979 go bliain na Iubhaile, thug Eoin Pól II cuairt ar 123 tíortha iasachta, thug cuairt thréadach ar 138 n-ionad san Iodáil taobh amuigh den Róimh agus 291 chuairt pharóiste sa chathair naofa féin.

Teagasc agus conspóid

Sna 23 bliana a bhfuil Eoin Pól II ag rialú na hEaglaise, is iomaí sin imlitir (13 acu ar fad) agus litir aspalda atá seolta aige ina mhisean chun Pobal Dé a bheathú le teagasc folláin na hEaglaise.

Redemptor hominis (Márta 1979) ba theideal don chéad cheann a tháinig óna pheann. Tráchtar inti ar dhínit an duine, agus gríosaítear   Caitlicigh chun an chóir shóisialta a chleachtadh. B'é *Dives in misericordia* (Nollaig 1980) an dara himlitir dár eisigh sé ina n-iarrann sé ar Phobal Dé trócaire a dhéanamh ar a chéile sa saol eascairdiúil ina maireann muid.

Bliain dár gcionn, .i. Meán Fómhair 1981, d'fhoilsigh an pápa a imlitir *Laborem exercens* mar chomóradh ar *Rerum novarum* Leo XIII. Sa doiciméad seo dúirt sé go raibh súil aige le sochaí nach mbeadh caipitlíoch, rachmasach, ach nach mbeadh ollsmachtach, cumannach ach oiread, ach í a bheith bunaithe ar chearta na n-oibrithe agus ar dhínit an tsaothair. I measc na n-imlitreacha eile a chuir sé amach, bhí *Redemptoris Mater* (25 Márta 1987) faoi ionad Mhuire i gcreideamh agus i liotúirge na hEaglaise, agus *Sollicitudo rei socialis* (Nollaig 1987) a léirigh imní an phápa faoin sochaí agus faoi ghéarchéimeanna éagsúla idirnáisiúnta a bhí ann ag an am. Ba mhór a chuaigh an imlitir seo i gcion ar Mikhail Gorbachev, ceannasaí úr Aontas na Sóivéadach. Foilsíodh ceann clúiteach eile ar 30 Marta 1995, *Evangelicum vitae,* inar dhamnaigh sé an meon ar a dtugann sé 'cultúr an bháis', a chlúdaíonn ginmhilleadh, frithghiniúint, eotanáis, inseamhnú tacair agus tástáil ar shuthanna daonna agus cleachtaí díobhálacha eile nach iad. Cuireann sé iad seo go léir ar aon dul le leithéidí sceimhlitheoireachta, SEIF, cogaíochta, rás na n-arm agus andúil i ndrugaí atá ina n-ábhar scéine ag saol ár linne.

Dála na gcuairteanna, ní mar a chéile a fáiltíodh roimh an uile theagasc dár thug an pápa uaidh. Bhí forásaigh *soi-disant* áirithe míshásta lena imlitir *Veritatis splendor* (Deireadh Fómhair 1993), mar shampla, as siocair gur mhaígh sé inti go bhfuil cleachtaí áirithe ann (rialú tacair an tuismidh, mar shampla) atá olc iontu féin ar dhóigh nach féidir le héinne bheith ag brath ar a choinsias féin amháin agus é ag plé leo. Litir aspalda dár teideal *Ordinatio sacerdotalis,* a tháinig amach 22 Bealtaine 1994, chuir sí olc ar chuid mhaith feiminithe de bhrí gur theagasc sí nach ceadmhach do mhná ord beannaithe a ghlacadh, agus toisc gur chuir sí cosc ar an ábhar a phlé, fiú, as sin amach – rud nár tharla ó na meánaoiseanna i leith.

Rud eile a chuir olc ar mhórán, go mór mór sa Tríú Domhan, gur dhiúltaigh an pápa cead feidhm a bhaint as coiscíní, fiú i dtíortha ina raibh SEIF forleathan. Mar an gcéanna, bhí lear daoine míshásta nuair a chuir sé i gcoinne aontumhacht na cléire a chur ar ceal, nó ar fionraí fiú, agus arís nuair a dhiúltaigh sé póstaí idir lánúineacha den ghnéas céanna a cheadú.

Sna hábhair seo go léir, cad é a bhí á dhéanamh ag Eoin Pól II ach an rud a dhéanfadh pápa ar bith – agus a mbeadh caitliceach cothrom ar bith ag dúil le go ndéanfadh sé – teagasc traidisiúnta na hEaglaise a athdheimhniú agus a athneartú?

Tharla freisin, sna 23 bliana a bhfuil Eoin Pól II i réim gur tugadh bata agus bóthar do dhornán diagairí nach raibh toilteanach géilleadh do údarás na hEaglaise agus a chraobhscaoil i mbriathra nó i bhfocail tuairimí nach raibh de réir theagasc oifigiúil na hEaglaise. An cairdinéal Joseph Ratzinger, atá i gceannas ar Chomhthionól Fhoirceadal an Chreidimh ó 1981 i leith, a chealaigh a gceadúnais teagaisc, agus é ag feidhmiú ar son an phápa, dar ndóigh. Ba é Hans Kung, an diagaire Eilbhéiseach, a chaith amhras ar dho-earráideacht an phápa, an chéad duine acu. Ruaigeadh as a phost in Ollscoil Tubingen é. Ansin bhí ar Jacques Pohier,

Doiminiceach Francach, agus Charles E. Curran ó Ollscoil Chaitliceach Mheiriceá i Washington éirí as a gcuid oibre. Beirt ó iarthar na hEorpa, Edward Schillebeeckx na Beilge agus Bernhard Haring na Gearmáine, a lean iadsan agus beirt dhiagaire ó Mheiriceá Theas a tháinig ina ndiaidh siúd, Gustavo Guuierrez as Peiriú agus Leonardo Boff as an Bhrasaíl.

Bhí meas agus gradam bainte amach go forleathan le tamall ag cuid de na diagairí seo sar a bhfuarthas locht orthu agus gur díbríodh iad. Agus údar na leathanach seo, mar shampla, ar an chliarscoil i Maigh Nuad i mblianta deiridh na seachtóidí, ba iad na diagairí seo uile a bhí ina ndéithe beaga ag na hollúna agus ag na léachtóirí i ndámh na diagachta. Agus muid inár sagairt nua-oirnithe ansin, ní thiocfadh linn ár gcluasa a chreidbheáil, nuair a chualamar cé mar a íslíodh agus a cáineadh iad.

Thug Eoin Pól II lántacaíocht don ghluaiseacht fhíorchoimeádach *Opus Dei,* a bhunaigh an Spáinneach José-Maria Escrivá de Balaguer (a d'éag i 1976) i Maidrid sa bhliain 1928, agus rinne sé prealáideacht phearsanta di sa bhliain 1982. Chomh maith leis sin, rinne sé Escrivá a bheannú ar 17 Bealtaine 1992. Luigh sé go han-trom, áfach, ar an Ardeaspag Marcel Lefebvre, a d'imigh chun ceannairce nuair a dhiúltaigh sé glan glacadh leis na hathruithe a tugadh isteach i gComhairle Vatacáin II. Rinne Eoin Pól II é a choinnealbhá ar 2 Iúil 1988, ach dá ainneoin sin uile, cheadaigh sé an tAifreann Laidine a cheiliúradh athuair ar 15 Deireadh Fómhair 1984.

Nithe eile

Má tá nóta diúltach le sonrú ar na paragraif thuas, b'fhéidir nár mhiste dúinn anois díriú ar nithe fíordhearfacha atá déanta ag an Phápa Eoin Pól II. Ar 30 Bealtaine 1995, mar shampla, d'fhoilsigh sé imlitir *Ut unum sint* a leag béim ar an ghá atá le hathmhuintearas agus le claontuairimí seanbhunaithe a chur ar ceal – agus ní fhéadfadh an duine ba chancaraí amuigh conspóid a bhunú orthu sin. Is mithid don Chríostaíocht, adúirt sé, a seanaontacht a aimsiú athuair. I spiorad na himlitreach sin sheol Eoin Pól II litir chuig a sheanchara

Giúdach a bhí ar an bhunscoil ina chuideachta fadó, Jerzy Kluger ('Jurek'). Léigh Jurek amach í ag cóisir a bhí ag seanchomhluadar Giúdach Wadowice ar 9 Bealtaine 1989. Agus mar chruthúnas eile go raibh smaointe *Ut unum sint* ag fabhrú in aigne an phápa leis na blianta, thug an Vatacáin aitheantas oifigiúil, den chéad uair, do Stát Iosraeil sa bhliain 1993.

B'fhéidir gurbh ábhar iontais do léitheoirí a fháil amach nach raibh ceangal taidhleoireachta idir Stáit Aontaithe Mheiriceá agus an Vatacáin ó 1867 ar aghaidh, cé go raibh na húdaráis ar an dá thaobh mór go leor lena chéile bunús an ama, ach d'éirigh le hEoin Pól II caidreamh a shnaidhmeadh le Meiriceá i mí Eanáir 1984. Ba é Eoin Pól, fosta, an chéad phápa riamh a bhuail le rúnaí ginearálta Pháirtí an Aontais Shóivéadaigh nuair a chas sé le Mikhail Gorbachev i mí na Nollag 1989, agus dá thoradh sin cuireadh tús le caidreamh taidhleoireachta idir an Rúis agus an Vatacáin an bhliain dár gcionn. Agus ach go b'é an tacaíocht a thug Eoin Pól II do Lech Walensa agus dá cheardchumann, Solidarnóis, agus iad i ngleic le rialtas cumannach na Polainne, ní éireodh chomh luath sin leis an réabhlóid a leag anuas an córas aindiach a bhí i gcumhacht sa tír sin.

Más ait leat é, réitigh Eoin Pól II go sármhaith le hUachtarán Stáit Aontaithe Mheiriceá, Ronald Reagan, a bhí sásta eolas faoi thíortha oirthear na hEorpa a chur ar fáil don phápa. Dar ndóigh thuig Reagan go rí-mhaith go mbeadh an pápa ina chrann taca agus ina chuidiú aige agus é ar a dhícheall ag iarraidh ceal a chur in 'Impireacht an Oilc', mar a thugadh sé siúd ar an Rúis. Ní mar sin, áfach, a bhí an scéal leis an Uachtarán Bill Clinton. Ós rud é go dtugadh seisean tacaíocht don ghinmhilleadh, don fhrithghiniúint agus do chleachtaí díobhálacha eile dá leithéid, bhíodh imní ar Eoin Pól II faoin sochaí mhillteach a bhí á cothú ag Clinton. Ar an drochuair déarfainn nach mbeadh bunús mhuintir na hÉireann ar aon intinn leis an phápa sa chás seo, agus go mba bhreá leo Clinton d'ainneoin a thuairimí ar fhadhbanna moráltachta.

Bíodh is nach raibh an Pápa Eoin Pól II tugtha don Uachtarán Clinton, bhí ard-urraim aige siúd don phápa, agus theastaigh uaidh gu gcomhoibreodh siad lena chéile ar mhaithe le síocháin idirnáisiúnta.

Thug an pápa isteach Cód úr an Dlí Chanónda (ar chuir Eoin XXIII tús lena ullmhú) nuair a d'eisigh sé an doiciméad *Sacrae disciplinae leges* ar 25 Eanáir 1983. Ní hé amháin sin ach rinne sé Caiticiosma Nua nua a chur ar fáil ar 7 Nollaig 1992.

Tugann spléachadh beag amháin eile ar staitisticí na Vatacáine 2000 le fios dúinn go ndearna an pápa, idir 1979 agus 2000, coláiste na gcairdinéal a mhéadú go 165 bhall, agus go ndearna sé 447 duine a chanónú ina naoimh nó a bheannú. Agus gur fhreastal 16 mhilliún daoine ar 966 éisteachtaí sa Vatacáin. Is doiligh le haigne theoranta an duine staitisticí mar sin a thabhairt leis.

Thagair muid roimhe seo d'fhilíocht agus do dhrámaí Karol Wojtyla. Rinneadh scannán de chúpla dráma dá chuid blianta beaga ó shin. Ceann acu, '*Siopa an tSeodóra'*, a scríobhadh sa bhliain 1960, rinneadh scannán de sa bhliain 1990 agus Burt Lancaster sa phríomhpháirt ann; an cumadóir Francach, Michel Legrand, a chum an ceol tionlacain. Ocht mbliana ina dhiaidh sin, 1998, rinneadh scannán de dhráma eile '*Deartháir ár nDé'* a scríobhadh siar sa bhliain 1950. Ba é Zanussi a léirigh an ceann sin.

Sa bhliain 1994, foilsíodh leabhar d'agallaimh le hEoin Pól II dár teideal '*Thar Tairseach an Dóchais Isteach'* i 25 cinn de theangacha i 35 tír éagsúla, agus tháinig dlúthdhiosca de phaidreacha agus de sheanmóirí amach arna léamh ag an phápa agus cúlra ceoil leo. '*Abba Pater'* ab ainm don chnuasach sin ar eisíodh milliún cóip de sa bhliain 1999.

Cuireann an pápa Eoin Pól II ionadh ar dhaoine a fholláine agus a láidre atá sé in ainneoin a bhfuil curtha de aige, idir diansaothar agus turais, ní amháin sna 23 bliana ó rinneadh pápa de ach sna blianta roimhe sin fosta. Sa bhliain 1981, cuireadh na piléir tríd a d'fhág sínte san ospidéal é ar feadh ceithre scór lá agus tamall measartha fada ina dhiaidh sin ag teacht chuige féin arís. Cuireadh faoi scian dochtúra arís eile é ar 27 Iúil 1992 mar gheall ar sceachaill nó siad ailseach a mb'éigean a bhaint. Thit sé béal faoi i mí na Samhna 1993 ar dhóigh nár mhór corróg shaorga a sholáthar dó ar 29 Aibreán 1994 dá bharr. Chuaigh sé faoi scian arís eile ar 15 Deireadh Fómhair 1996 nuair a baineadh a aipindic. Agus le blianta beaga anuas is follas don saol go bhfuil aicíd néaróg ag cur air, cé nach n-admhaítear a leithéid. Dá ainneoin sin uilig, ní féidir stop a chur leis, agus le linn Iubhaile 2000 sa Róimh, agus Féile na nÓg faoi lán seoil, bhí sé mar a bheadh stócach ann agus gan rian dá laghad den aois air. Ní raibh faoi ná thairis le tamall de bhlianta anuas ach an bhliain Iubhaile a chomóradh, agus tá muid istigh go maith sa mhílaois nua agus é ag treabhadh leis go fóill. Fathach fir, gan amhras!

Sula bhfágfaidh muid scéal spreagúil an phápa shuntasaigh seo inár ndiaidh, níor mhiste dúinn sampla Naomh Adhamhnáin, agus é i mbun bheatha Cholm Cille, a leanúint agus cúpla tairngreacht a rinneadh faoin phápa 'ó thír i bhfad i gcéin' a lua. Nuair a casadh an misteach Padre Pio ar Karol Wojtyla tamall de bhlianta sara ndearnadh pápa de, rinne an sagart Proinsiasach a thairngreacht nárbh fhada go mbeadh an Polannach ina phápa agus, ar an drochuair, go dtarlódh gníomh foréigin le linn a réime.

Agus, chomh fada siar le samhradh na bliana 1972 agus an Monsignor Albino Luciani (Eoin Pól I ní ba mhaille) ina phatrarc ar Veinéis, bhí oilithrigh ón Fhrainc seal a gcuarta i gcathair Veinéise agus chas siad le Luciani lá. Bhí siad ag cur ceisteanna air. Arsa duine acu leis, "An bhféadfadh go mbeadh pápa ann amach anseo nach Iodálach é?" Arsa Luciani á fhreagairt, 'D'fhéadfadh – an Cairdinéal Konig, ardeaspag Vín, mar shampla – ach amháin gur Ostarach é agus gur sa tír sin a rugadh Hitler! Ach féach easpag na deoise ina bhfuil campa díothaithe Auschwitz suite, cairdinéal óg Polannach – sin ábhar pápa duit." Ach níor mhothaigh a oiread agus duine amháin acu fiú is iomrá air!